D0675464

Sciences de la Vie et de la Terre

L'INDISPENSABLE

Françoise Magniette
Professeur agrégée au lycée Allende (Hérouville-Caen)

Michel Magniette
Professeur agrégé au lycée Allende (Hérouville-Caen)

Annick Noël
Professeur agrégée

mode d'emploi

Cet ouvrage a été conçu pour vous aider à **maîtriser l'indispensable** en Sciences de la Vie et de la Terre en Terminale S (enseignements obligatoire et de spécialité). Il est conforme au programme en vigueur depuis septembre 1994 ainsi qu'aux allégements de 1996.

Chacune des cinq grandes parties du programme est organisée de la même façon :

Avant de commencer

Cette rubrique fait le point sur les acquis des classes précédentes et sélectionne les notions utiles pour le sujet étudié. Relisez-la avant d'aborder la suite, si vous n'êtes pas sûr de vos souvenirs.

Le cours est organisé en chapitres s'enchaînant dans l'ordre du programme officiel.

Chaque chapitre débute par un **point de départ** qui situe le sujet et vous rappelle les ***mots-clés*** à connaître.

Les paragraphes, courts et très structurés, vous permettent une lecture rapide et facilitent la mémorisation.

Les conclusions, sur fond bleu, ponctuent le cours et dégagent les points essentiels.

© Éditions Nathan 1998 - 9, rue Méchain - 75014 Paris - ISBN : 2-09-180915-2

Enseignement de spécialité

Le cours de spécialité est présenté sous forme de fiches facilement repérables (bordure bleue).

Elles sont logiquement intégrées dans les chapitres correspondants, en conformité avec le programme.

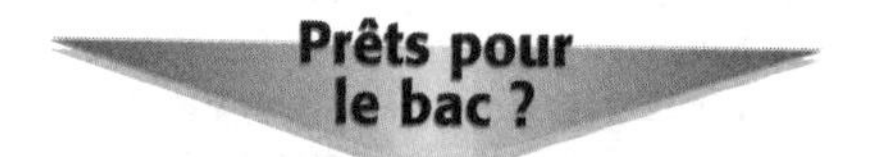

À la fin de chaque grande partie, des sujets de bac récents, suivis d'indications détaillées pour vous guider, vous donnent les moyens de faire le point de vos connaissances et de vous entraîner pour l'épreuve.

En fin d'ouvrage, un INDEX et un LEXIQUE donnant les définitions des mots-clés et d'autres termes importants vous aideront à utiliser efficacement cet ABC.

Cet ouvrage est destiné à accompagner votre travail tout au long de l'année. Sachez l'utiliser au mieux. N'attendez pas la période des révisions pour vous en servir !

Bon courage !

SOMMAIRE

Partie 4 Fonctionnement d'un système de régulation hormonal

Partie 5 Histoire et évolution de la Terre et des êtres vivants

L'épreuve de SVT au baccalauréat

L'épreuve écrite de Sciences de la Vie et de la Terre au baccalauréat scientifique a une durée de 3 heures 30. Cette épreuve consiste en :

▶ Un seul sujet (aucun choix possible)

Le sujet comporte 3 questions portant sur 3 parties différentes du programme, l'une d'elles portant obligatoirement sur la partie 5 du programme : « Histoire et évolution de la Terre et des êtres vivants ».

▶ Deux questions communes à tous les candidats

- Une restitution organisée des connaissances (question I) ;
- Une exploitation de documents (question II).

▶ Une question différant selon que vous avez choisi ou non l'enseignement de spécialité

La question III est une synthèse basée sur l'exploitation de documents (4 au maximum), qui évalue votre capacité à pratiquer des raisonnements scientifiques :

- si vous n'avez pas choisi l'enseignement de spécialité en SVT, elle porte sur des documents accessibles à tous ;
- si vous avez choisi l'enseignement de spécialité, elle comprend des documents plus originaux, pouvant porter à la fois sur le contenu de l'enseignement de spécialité et sur l'ensemble du programme obligatoire.

▶ Barème et coefficients

- 15 points sur 20 pour les questions I et II (7 ou 8 points pour chacune) ;
- 5 points pour la question III.
- Coefficients : 6 sans enseignement de spécialité, 8 avec enseignement de spécialité.

Conseils pour l'épreuve de SVT

► Acquérir des connaissances

- Vous ne devez pas tout apprendre par cœur, mais posséder des points de repère : mots-clés et vocabulaire de base, localisation des phénomènes...
- Mémorisez le plan du cours : cela vous permet de structurer les acquisitions et facilite la mobilisation pendant l'épreuve.
- Testez vos connaissances après apprentissage : c'est indispensable pour fixer les acquis. Les sujets corrigés de l'ABC vous y aideront.

► Mobiliser ses connaissances

Lors de la lecture du sujet, repérez les mots-clés et le domaine de connaissances pour cibler au plus près votre réponse. Notez les limites du sujet (attention au hors-sujet !). Rassemblez vos idées, vos connaissances.

► Restituer ses connaissances (question I)

L'épreuve de restitution de connaissances nécessite toujours de la réflexion, afin d'organiser les connaissances selon un plan propre au sujet, généralement différent du plan du cours.

► Exploiter des documents, faire une synthèse (questions II et III)

- Mobilisez vos acquis méthodologiques de 1re S, ils vous seront précieux : analyse de données, démarche expérimentale, formulation d'hypothèses, etc.
- Des connaissances solides sont indispensables à l'analyse de documents, même si ceux-ci sont nouveaux et originaux : là aussi, une mobilisation préalable des connaissances est nécessaire.
- La synthèse à partir de documents (question III) nécessite souvent une généralisation : il faut alors éliminer les détails et trouver le dénominateur commun aux différents documents, afin d'en dégager l'essentiel.

GUIDE DES UNITÉS

- Dans le Système International :

– l'unité de **longueur** est le **mètre** dont le symbole est : **m**.
– l'unité de **temps** est la **seconde** dont le symbole est : **s** (n'écrivez pas sec. !).
– l'unité de **masse** est le **kilogramme,** dont le symbole est **kg** (deux minuscules ; invariable au pluriel).

- En Sciences de la Vie et de la Terre, différentes sous-unités sont fréquemment utilisées :

Sous-unité	Symbole	Facteur par lequel est multipliée l'unité
longueur		
millimètre micromètre nanomètre picomètre	mm µm nm pm	10^{-3} 10^{-6} 10^{-9} 10^{-12}
temps		
milliseconde microseconde	ms µs	10^{-3} 10^{-6}
masse *Attention : dans ce cas particulier, le préfixe s'applique au gramme et non à l'unité S.I. de base.*		
milligramme microgramme nanogramme picogramme	mg µg ng pg	10^{-3} 10^{-6} 10^{-9} 10^{-12}

Partie 1

Unicité génétique des individus et polymorphisme des espèces

Avant de commencer

QUELQUES RAPPELS SUR L'INFORMATION GÉNÉTIQUE ET LA REPRODUCTION

● L'ADN (acide désoxyribonucléique), principal constituant des **chromosomes,** est le support moléculaire de l'**information génétique.**

Représentation schématique de la molécule d'ADN :

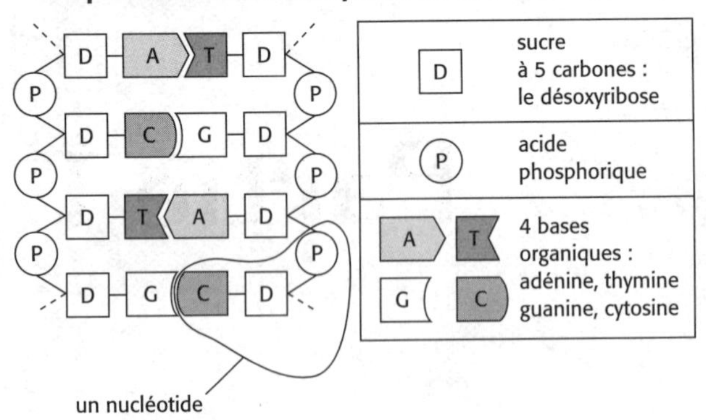

● Chaque séquence d'ADN codant pour une protéine est un **gène.** La synthèse d'une protéine dans une cellule comporte deux grandes étapes :

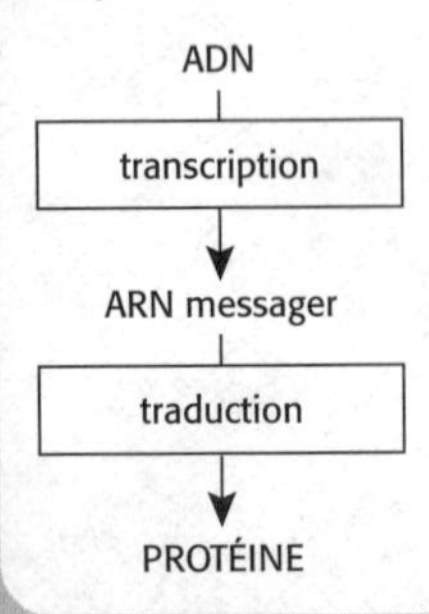

La synthèse d'une molécule complémentaire d'un brin d'ADN s'effectue selon :

C → G   G → C
T → A   A → U, uracile

La correspondance entre les triplets d'ARNm et les acides aminés constitue le **code génétique**, (voir p. 18).

● Le **phénotype** d'un individu est l'expression de ses gènes. Lorsque chaque gène est en deux exemplaires, ce qui est le cas pour l'espèce humaine et la plupart des êtres vivants pluricellulaires, les deux formes homologues peuvent être légèrement différentes et constituent les **allèles** du gène.
L'ensemble des allèles d'un individu définit son **génotype.**

● Un cycle cellulaire comprend une interphase et une mitose. Au cours de l'interphase, une duplication de l'ADN transforme chaque chromosome en deux chromatides réunies par le centromère :

● La **mitose** est une division conforme qui répartit équitablement les chromosomes dans deux cellules filles en conservant intégralement l'information génétique de la cellule mère.

● La **reproduction sexuée** est source de **diversité génétique** grâce à deux phénomènes biologiques :
– la **méiose,** division cellulaire particulière qui produit des cellules n'ayant pas toutes la même information génétique ;
– la **fécondation,** qui réunit un gamète mâle et un gamète femelle pour former un **œuf,** ou zygote.

1

LE POLYMORPHISME GÉNIQUE

point de départ

L'information génétique est codée par des séquences d'ADN à la fois stables, caractérisant l'espèce, et modulables, caractérisant l'individu. Il existe en effet plusieurs modèles pour chaque unité d'information ou gène.

Mots-clés *allèle, chromosome, gène, mutation, polymorphisme*

1 Variabilité des gènes

Les gènes sont polymorphes, c'est-à-dire que chaque gène peut prendre plusieurs formes légèrement différentes entre elles par la séquence des bases de l'ADN.

A. Les gènes et leurs allèles

Un gène occupe un emplacement bien précis sur un chromosome, ou **locus.** C'est une séquence d'ADN qui code pour un polypeptide.
Un gène se présente sous plusieurs états ou **allèles,** correspondant à la production de polypeptides légèrement différents. Le caractère héréditaire correspondant peut donc avoir plusieurs versions.

Le nombre d'allèles pour un gène varie de deux à plusieurs dizaines (polyallélisme). Par exemple pour des gènes codant pour des protéines membranaires de globules rouges (groupes sanguins) ou blancs (système HLA, *Human Leucocytes Antigens*) :
– groupe sanguin ABO : 1 gène sur le chromosome 9, 3 allèles A, B, O ;
– groupe sanguin Rhésus : 3 gènes sur le chromosome 1, 2 allèles chacun, Cc, Dd, Ee ;
– groupe tissulaire HLA : plusieurs gènes, regroupés pour la plupart sur le chromosome 6 dans les régions A, B, C et D.

B. L'identité génétique

● Tout individu possède deux allèles de chacun des gènes de l'espèce. Certains gènes comportent de nombreux allèles ; ils peuvent alors être représentés par un grand nombre de couples d'allèles, comme le montrent les exemples suivants.

● Modèle pour 2 gènes ayant chacun 4 allèles.
A_1, A_2, A_3, A_4, sont les allèles du gène A ;
B_1, B_2, B_3, B_4, sont les allèles du gène B.
Les couples d'allèles possibles pour les gamètes (haploïdes) sont : A_1B_1, A_1B_2, A_1B_3, A_1B_4, A_2B_1, A_2B_2 etc. soit 16 combinaisons au total.

● L'exemple du groupe tissulaire HLA.
Les *Human Leucocytes Antigens* sont des molécules de surface des cellules qui interviennent dans le rejet des greffes. Ce sont des protéines codées par au moins 6 gènes situés sur le chromosome 6. Chaque gène possède de nombreux allèles (jusqu'à une soixantaine). Plus de 10^{10} combinaisons de 6 allèles sont possibles. Le groupe HLA (ensemble de 12 allèles) caractérise donc un individu.

C. L'expression des allèles

Étant donné le double héritage, paternel et maternel, les chromosomes, et donc leurs gènes, sont en double exemplaire dans les cellules diploïdes. Les deux allèles en présence, l'un maternel l'autre paternel, peuvent être identiques (même information), ou différents.

Dans ce dernier cas, deux allèles **codominants** peuvent s'exprimer, mais le plus souvent l'un d'eux impose son information à la cellule, il est **dominant.** Celui qui ne s'exprime pas est **récessif.** C'est ce qu'illustre le schéma suivant, où les conventions d'écriture des généticiens sont utilisées :

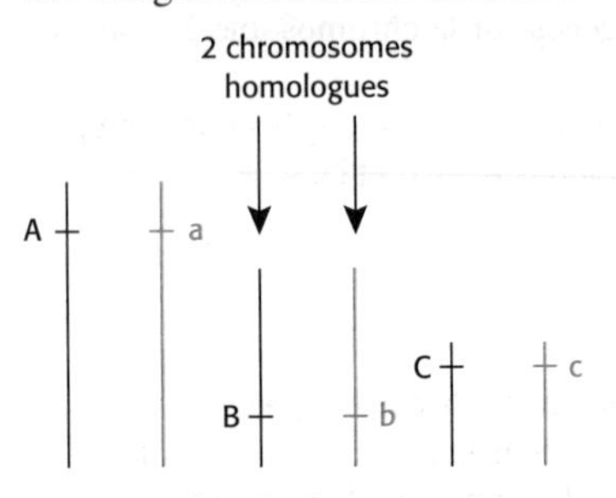

Dans le cas des groupes sanguins, le gène codant pour les marqueurs ABO a 3 allèles : les allèles A, B, O. A domine O, B domine O, A et B sont codominants :

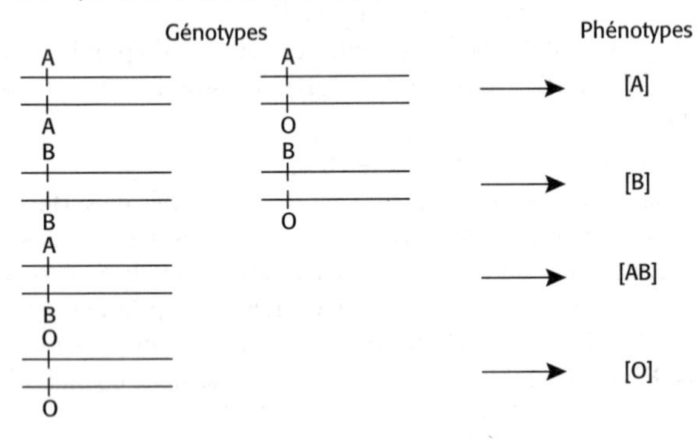

L'information génétique est détenue par les séquences des bases de l'ADN. L'unité génétique codant pour une protéine est le gène, qui peut admettre plusieurs séquences voisines constituant ses allèles. Le polymorphisme génique est à l'origine du polymorphisme des individus d'une espèce.

2 LES MUTATIONS CRÉENT DE NOUVEAUX ALLÈLES

Une mutation est une modification accidentelle portant sur le nombre de chromosomes ou la structure de l'un d'eux : **mutation chromosomique.** Une mutation peut aussi être due à l'altération d'un gène : **mutation génique.** Les mutations géniques sont à l'origine du polyallélisme. Un gène ancestral, dit parfois sauvage, se transforme, par mutations successives, en formes voisines dont la séquence nucléotidique est modifiée.

A. Différents types de mutations géniques

Les mutations géniques les plus courantes :
- **substitution,** remplacement d'une base par une autre ;
- **délétion,** suppression d'une base ;
- **addition,** une base supplémentaire.

Dans les schémas suivants, un seul brin d'ADN est représenté, l'autre lui est complémentaire, y compris pour la partie modifiée.

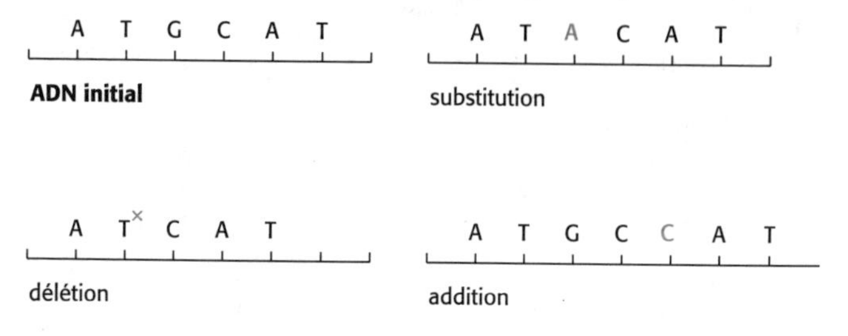

B. Conséquences des mutations géniques

1. De nombreuses mutations sont silencieuses

Ces mutations sont sans effet :
- l'ADN altéré est entre 2 gènes et ne s'exprime pas ;
- l'ADN est une partie non codante d'un gène (ou intron) ;
- la modification concerne la partie codante d'un gène mais ne change pas le code génétique.

On peut par exemple voir dans le tableau du code génétique que 6 codons d'ARN messager correspondent à la sérine et qu'une substitution (de l'ADN, à l'origine) peut être sans effet, comme dans l'exemple suivant :

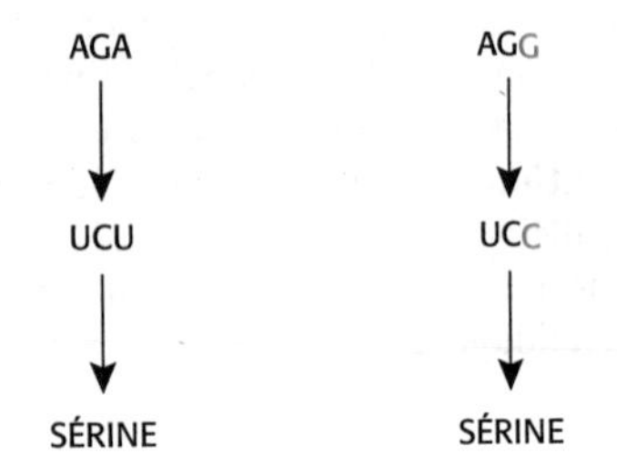

Le code génétique :

Code génétique – ARNm.
A : Adénine – U : Uracile – G : Guanine – C : Cytosine.

1re base	2e base				3e base
	U	C	A	G	
U	Phénylalanine Phénylalanine Leucine Leucine	Sérine Sérine Sérine Sérine	Tyrosine Tyrosine Non-sens Non-sens	Cystéine Cystéine Non-sens Tryptophane	U C A G
C	Leucine Leucine Leucine Leucine	Proline Proline Proline Proline	Histidine Histidine Glutamine Glutamine	Arginine Arginine Arginine Arginine	U C A G
A	Isoleucine Isoleucine Isoleucine Méthionine	Thréonine Thréonine Thréonine Thréonine	Asparagine Asparagine Lysine Lysine	Sérine Sérine Arginine Arginine	U C A G
G	Valine Valine Valine Valine	Alanine Alanine Alanine Alanine	Ac. aspartique Ac. aspartique Ac. glutamique Ac. glutamique	Glycine Glycine Glycine Glycine	U C A G

Ce tableau à 3 entrées donne la correspondance entre les triplets de bases de l'ARNm, et les acides aminés. Il indique par conséquent comment la cellule traduit le code génétique pour construire une protéine.

2. D'autres mutations modifient l'expression du gène

Leur conséquence est la synthèse d'un nouveau polypeptide, débouchant parfois sur une pathologie.

● **Additions** et **délétions :** en ajoutant ou supprimant un nucléotide, elles introduisent un décalage dans la lecture du code génétique :

C C U G U U G G U donne Leucine - Valine - Glycine

C U G U U G G U donne Leucine - Tryptophane

délétion décalage

● **Substitutions :** l'erreur de traduction est moins systématique que précédemment car le nombre de bases est inchangé, mais elle est fréquente comme le montre l'exemple suivant dans lequel on envisage toutes les substitutions ponctuelles possibles pour un des codons de l'ARN messager :

Codon A A A = Lysine

G A A = acide glutamique	C A A = glutamine	U A A = stop arrêt de synthèse
A G A = arginine	A C A = thréonine	A U A = isoleucine
A A G = Lysine Mutation silencieuse	A A C = asparagine	A A U = aspargine

Le changement d'un seul acide aminé d'une protéine peut suffire à la rendre non fonctionnelle, c'est-à-dire à lui enlever ses propriétés enzymatiques.

Même limitée à un seul nucléotide de l'ADN, comme dans le cas de la maladie, la **drépanocytose,** une mutation peut avoir d'importantes conséquences sur la formation et le fonctionnement de l'organisme. Le polymorphisme des gènes entraîne un polymorphisme à tous les niveaux d'organisation :

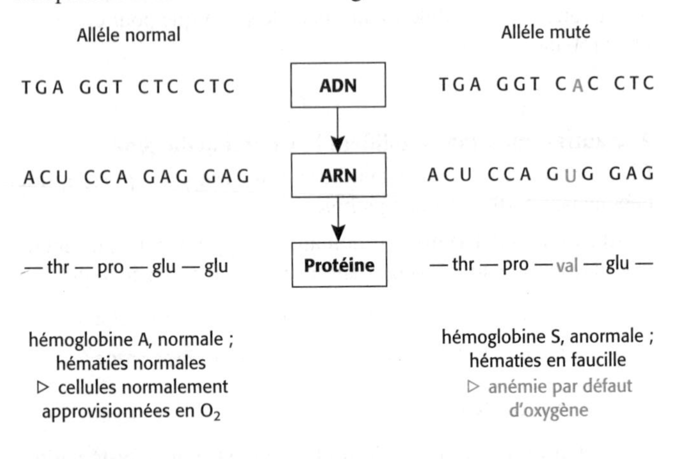

▶ C. Mutations somatiques et mutations germinales

Des mutations affectent en permanence le génome des cellules de l'organisme. Elles n'ont pas toutes les mêmes conséquences.

1. Les mutations somatiques

Elles touchent les cellules non liées à la formation des gamètes, les cellules du soma. Si la mutation n'empêche pas la cellule de se diviser, il peut se former une population de cellules identiques. Les mutations somatiques ne sont pas transmissibles aux générations suivantes.

2. Les mutations germinales

Elles concernent des cellules de la lignée germinale, qui évoluent en **gamètes.** Ces mutations sont transmissibles aux générations suivantes, elles sont **héréditaires.**

Une mutation est une modification accidentelle de la séquence d'ADN. Le gène initial et le gène muté, ou allèle, ne codent pas pour la même protéine.

2

MÉCANISMES DE LA REPRODUCTION SEXUÉE

point de départ

Lors de toute reproduction sexuée, deux gamètes, issus de deux organismes parentaux, se réunissent et mettent en commun leurs deux programmes génétiques. L'œuf formé se développe en un nouvel organisme.
L'information génétique est transmise d'une génération à l'autre par des mécanismes cellulaires identiques chez les différentes espèces.

Mots-clés *diploïde, fécondation, gamète, haploïde, méiose, ovocyte, spermatozoïde, zygote*

1 La méiose

A. Son résultat

La comparaison des caryotypes montre qu'une cellule issue de la méiose n'a pas les mêmes chromosomes que celle dont elle provient.
Chaque cellule provenant d'une méiose ne possède qu'un chromosome de chaque paire, et par conséquent, un seul allèle par gène.
Par exemple, en se limitant à 6 chromosomes (sur 46) pour une cellule de testicule qui va subir une méiose :

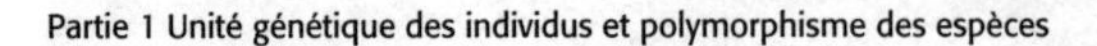

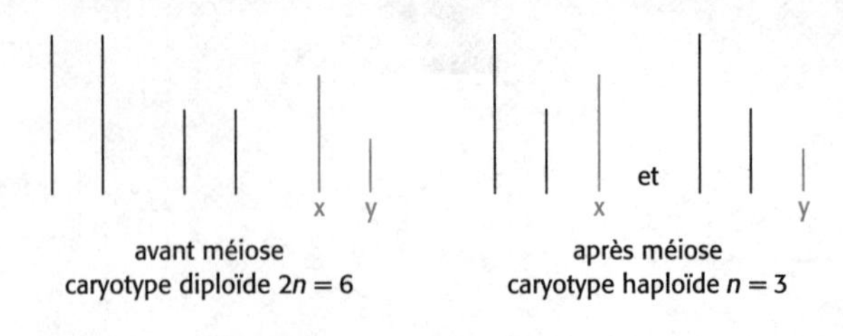

B. Son mécanisme

Comme avant une mitose ordinaire, l'ADN d'une cellule est dupliqué pendant l'interphase, mais la méiose comprend deux divisions qui s'enchaînent sans nouvelle duplication, ce qui explique la réduction du nombre de chromosomes. Les schémas suivants montrent comment s'effectue la répartition des chromosomes dans les cellules filles issues d'une cellule à 4 chromosomes.

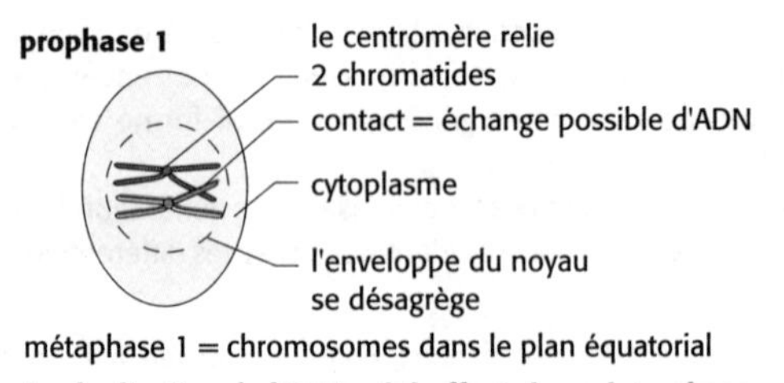

métaphase 1 = chromosomes dans le plan équatorial

La duplication de l'ADN a été effectuée en interphase

anaphase 1

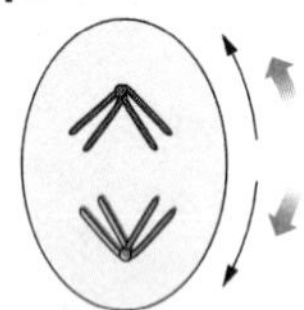

séparation des chromosomes d'une paire

télophase 1

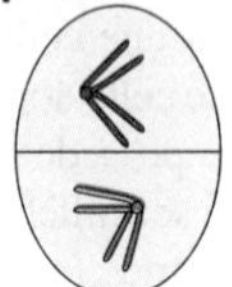

2 cellules haploïdes génétiquement différentes

Déroulement de la méiose pour une paire de chromosomes.

anaphase 2 **télophase 2**

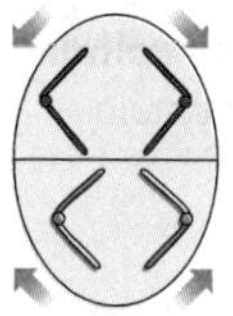

clivage des centromères, séparation des chromosomes-fils

4 cellules haploïdes, chromosomes à 1 chromatide

Seconde division de la méiose sans changement du nombre de chromosomes.

▶ C. Comparaison avec la mitose

caryotype de la cellule qui se divise :
4 chromosomes à 2 chromatides
(duplication en interphase)

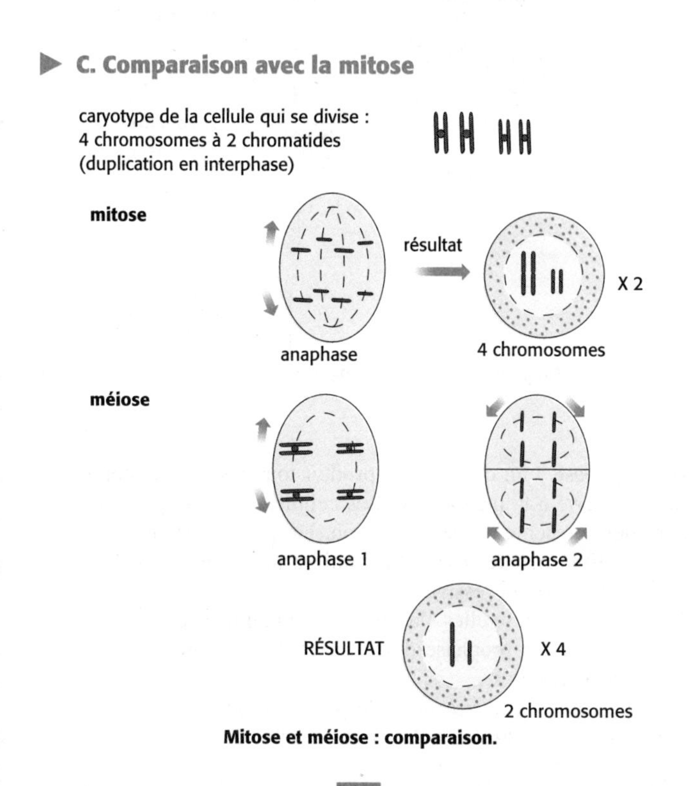

Mitose et méiose : comparaison.

D. La méiose dans l'espèce humaine

Dans les testicules et les ovaires, les cellules de la lignée germinale donnent des gamètes en quelques générations cellulaires. C'est au cours de cette gamétogenèse qu'intervient la méiose.

● **Spermatogenèse :** elle se déroule dans la paroi des tubes séminifères de façon continue, à partir de la puberté.

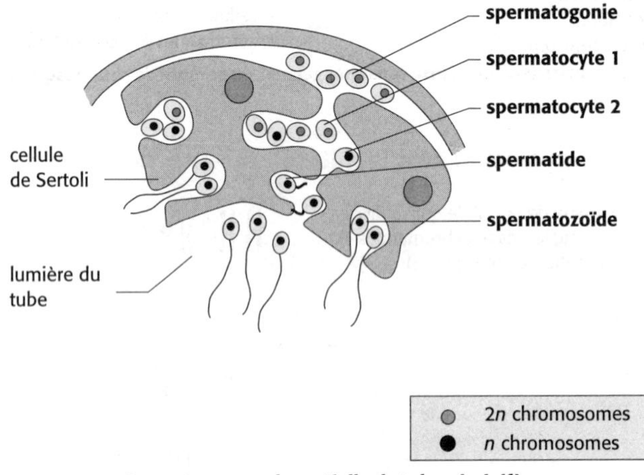

Coupe transversale partielle de tube séminifère.

● **Ovogenèse :** un ovocyte est produit tous les 28 jours environ, de la puberté à la ménopause. Les cellules mères de ces gamètes sont déjà présentes chez l'embryon. Un premier stade cellulaire est constitué par des **ovogonies** qui se multiplient par de nombreuses mitoses successives.

Des milliers d'entre elles s'accroissent et commencent une méiose qui se bloque en prophase de première division, elles sont devenues des **ovocytes I.**

À la naissance, l'ovaire possède par conséquent déjà les futurs gamètes (1 000 000), sous une forme inachevée.

À partir de la puberté, l'ovaire redevient actif. À chaque cycle, un ovocyte I se trouve engagé dans l'évolution d'un follicule. Au milieu du cycle, quelques heures avant l'ovulation, la méiose reprend son cours.
Sa première division s'achève et donne deux cellules haploïdes, **l'ovocyte II** et un globule polaire, cellule naine qui dégénère.
Lors de l'ovulation, ces deux cellules sortent de l'ovaire :

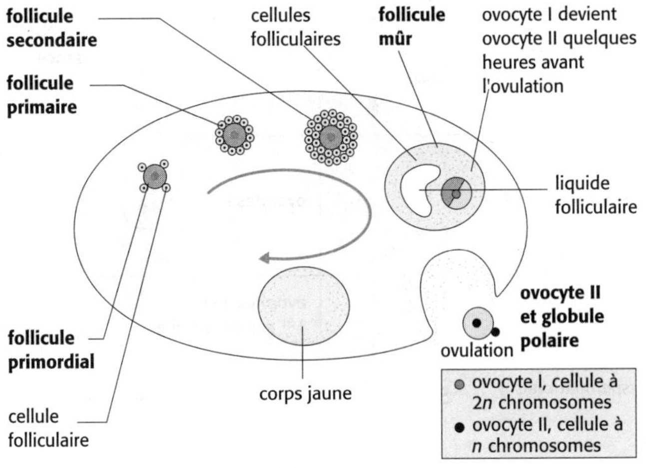

Coupe schématique d'ovaire.

La méiose s'est interrompue à nouveau : l'ovocyte II, qui est le gamète produit par l'ovaire, est bloqué en métaphase de seconde division.
La condition pour que la méiose s'achève est qu'un spermatozoïde pénètre dans l'ovocyte II. Un second globule polaire est alors formé.

● La **spermatogenèse** et **l'ovogenèse** sont différentes par la chronologie, le volume et le nombre des cellules produites, mais les étapes de la maturation des cellules sont comparables :

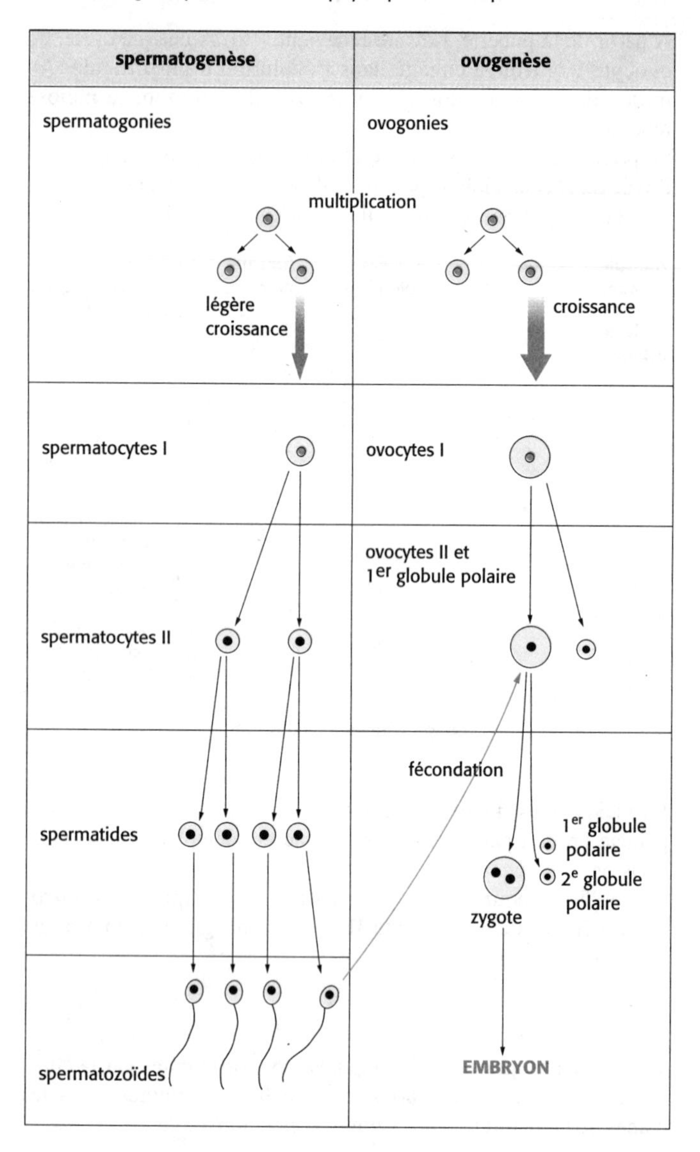
spermatogenèse
ovogenèse
spermatogonies
ovogonies
multiplication
légère croissance
croissance
spermatocytes I
ovocytes I
ovocytes II et
1er globule polaire
spermatocytes II
fécondation
spermatides
1er globule polaire
2e globule polaire
zygote
spermatozoïdes
EMBRYON

Une cellule à 2*n* chromosomes qui se divise par méiose donne quatre cellules à *n* chromosomes.

2 La fécondation dans l'espèce humaine

- Le spermatozoïde est le gamète mâle.

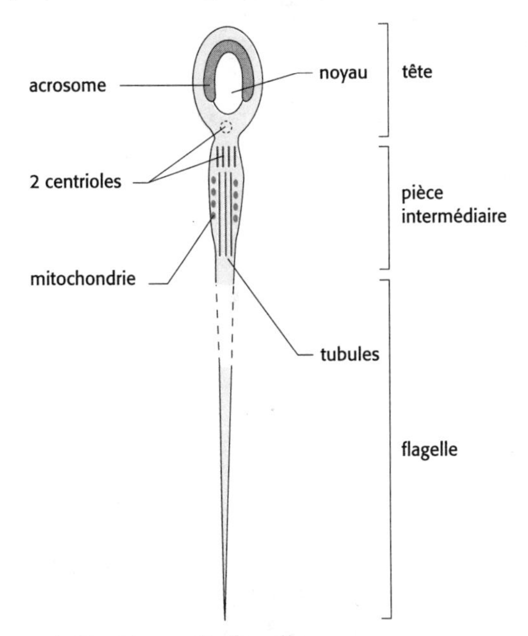

- L'ovocyte II est le gamète femelle.
- La fécondation, formation d'un zygote à partir de deux gamètes de sexe opposé, s'effectue en plusieurs étapes (voir page suivante) :

En réunissant deux génomes haploïdes, la fécondation rétablit la diploïdie.

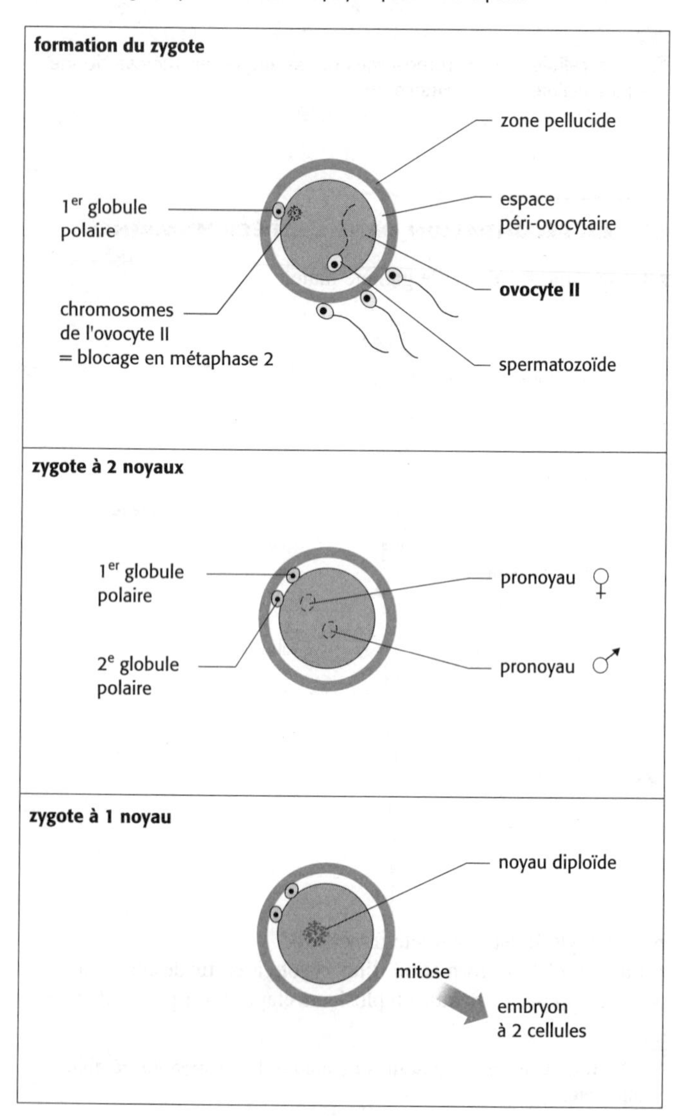
formation du zygote
zone pellucide
1er globule polaire
espace péri-ovocytaire
ovocyte II
chromosomes de l'ovocyte II = blocage en métaphase 2
spermatozoïde
zygote à 2 noyaux
1er globule polaire
pronoyau ♀
2e globule polaire
pronoyau ♂
zygote à 1 noyau
noyau diploïde
mitose
embryon à 2 cellules

3 LES CYCLES DE REPRODUCTION

A. Alternance de la méiose et de la fécondation

Un cycle est l'ensemble des événements qui séparent deux étapes identiques, par exemple pour la reproduction sexuée, de la fécondation à la fécondation.

Méiose et fécondation sont des étapes complémentaires quelle que soit l'espèce :

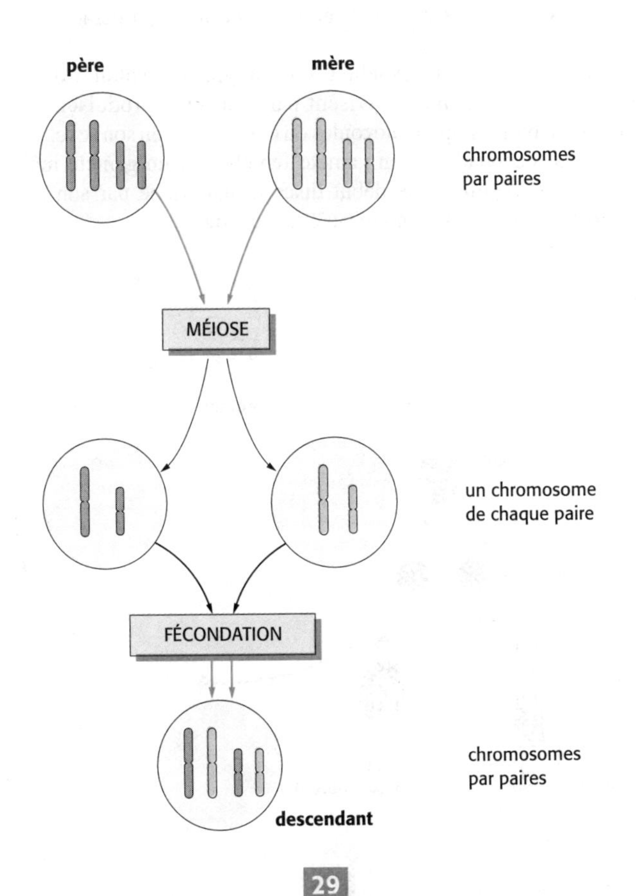

Il existe cependant une diversité des cycles de reproduction selon les espèces, comme le montre l'exemple de l'Homme comparé à celui d'un champignon, *Sordaria.*
Le devenir de l'œuf, qui est toujours une cellule diploïde, n'est pas le même.

▶ B. De l'œuf à l'œuf chez l'Homme

Par mitoses successives, le zygote donne un organisme pluricellulaire.
Lorsque sa maturation sexuelle est accomplie, des cellules de ses organes reproducteurs se divisent par **méiose** et produisent des **gamètes** haploïdes, spermatozoïdes ou ovocytes selon son sexe.
Issu de la fécondation d'un gamète femelle par un gamète mâle, un nouveau **zygote** est le début discret, mais riche par son programme génétique, d'un nouveau cycle de vie.

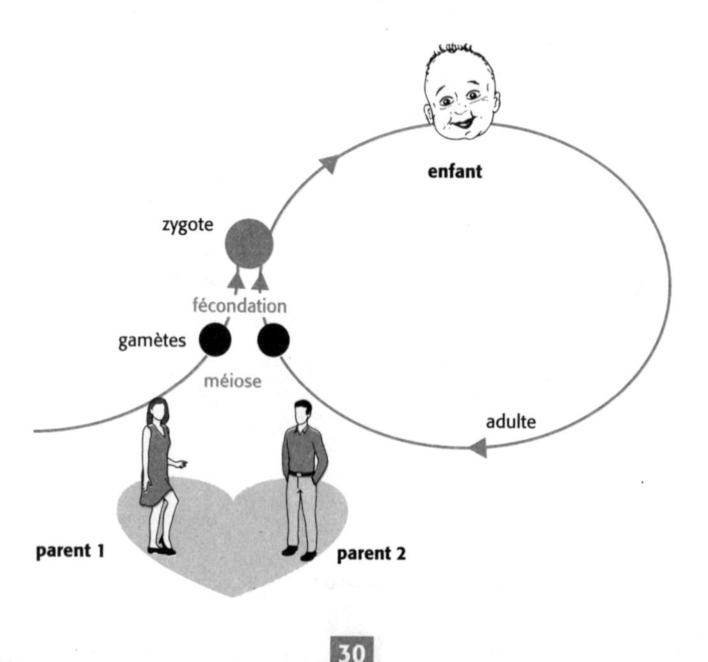

C. De l'œuf à l'œuf chez *Sordaria*

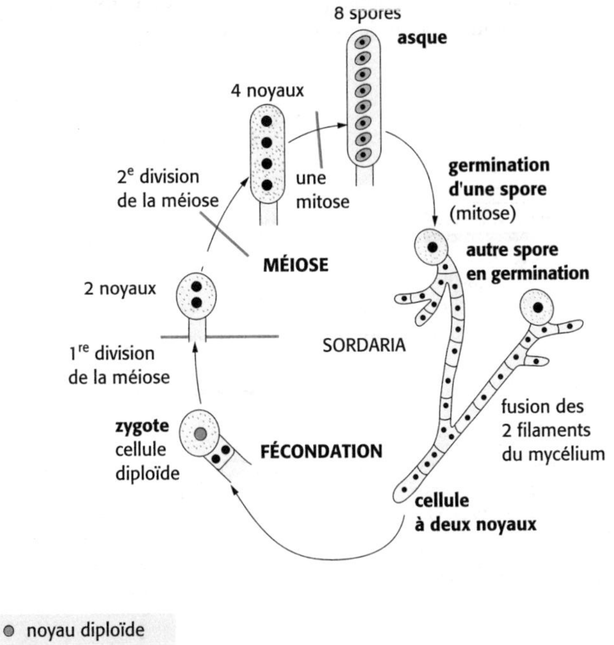

Sitôt formé, le **zygote** subit les 2 divisions de la **méiose.** Il en résulte une longue cellule à 4 noyaux haploïdes car il n'y pas de division du cytoplasme.

Une mitose supplémentaire donne 8 noyaux, à l'origine des 8 cellules qui se constituent. L'organe formé est un **asque,** prêt à libérer ses 8 spores.

En se développant par mitoses successives, une spore donne un filament pluricellulaire ramifié, le mycélium. Le rapprochement de 2 mycéliums (les parents) aboutit à la fusion de 2 cellules haploïdes (les gamètes). Cette **fécondation** donne une cellule diploïde, le **zygote.**

D. Comparaison de deux cycles chromosomiques

La reproduction sexuée implique l'alternance de phases haploïdes et de phases diploïdes comme le mettent en évidence les schémas suivants :

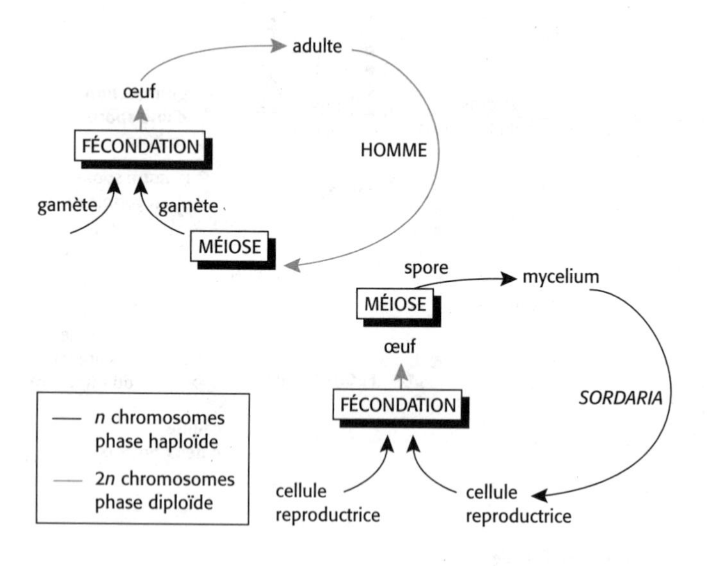

Cycles chromosomiques.

● **Ressemblances :** intervention des mêmes mécanismes permettant le passage d'une phase à l'autre, la **méiose** et la **fécondation.**

● **Différences :** la phase prédominante est la phase diploïde chez l'Homme, c'est la phase haploïde chez *Sordaria.*

La reproduction sexuée est caractérisée par l'alternance de phases haploïdes et de phases diploïdes. La méiose et la fécondation assurent la régulation de la formule chromosomique.

3

LE BRASSAGE GÉNÉTIQUE

point de départ

Les biologistes disent à propos de la reproduction sexuée que « un plus donne un autre », ou encore « qui fait un œuf fait du neuf ». Les mécanismes de la méiose et de la fécondation expliquent ce pouvoir innovant de la reproduction biparentale.

Mots-clés *allèle, brassage interchromosomique, brassage intrachromosomique,* crossing-over, *fécondation, gène*

1 LA MÉIOSE ASSURE UN DOUBLE BRASSAGE CHROMOSOMIQUE

▶ A. Le brassage intrachromosomique

En prophase 1, les chromosomes homologues sont appariés. Les chromosomes d'une paire ont les mêmes gènes mais pas toujours les mêmes allèles.

Des contacts s'établissent entre chromatides homologues, l'une d'elle pouvant chevaucher l'autre (enjambement). Dans certains cas, les chromatides se cassent et se ressoudent en échangeant les fragments homologues, c'est le *crossing-over :*

croisement ↦ rupture ↦ échange ↦ soudure.

● Sur les chromosomes suivants, sont représentés deux gènes bialléliques, Aa et Bb :

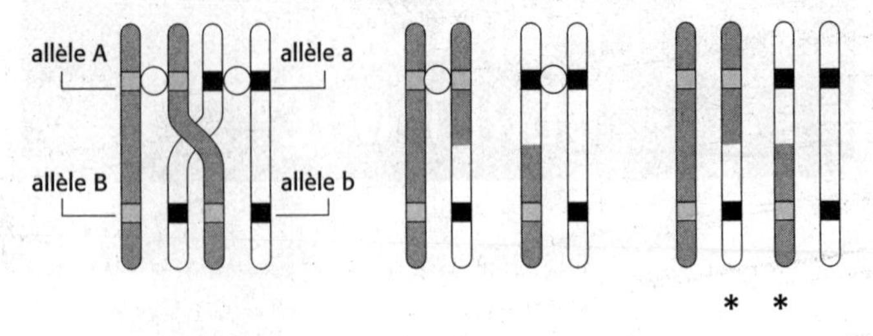

croisement-coupure-soudure ; échange de fragments de chromatides homologues en prophase 1 de méiose

fin de méiose : 4 chromosomes
- 2 parentaux AB et ab
- 2 recombinés* Ab et aB

● Conséquence des *crossing-over :*
les cellules affectées par la méiose étant hétérozygotes pour de nombreux gènes, les *crossing-over* redistribuent les allèles le long des chromosomes.

> Le brassage intrachromosomique par *crossing-over* entraîne un brassage allélique.

B. Le brassage interchromosomique

En anaphase 1, les chromosomes de chaque paire se séparent de façon aléatoire. Au hasard, un des chromosomes se dirige vers un pôle, son homologue en direction opposée. Le « tirage au sort » est indépendant pour les différentes paires de chromosomes.
La méiose se poursuit et donne 4 cellules sans que l'anaphase 2 ne modifie le brassage anaphasique de la 1re division.
Le schéma suivant montre la conséquence génétique de la répartition aléatoire des chromosomes pour une cellule possédant 2 paires de chromosomes, de génotype A_1/A_2, B_1/B_2.
Pour 23 paires de chromosomes, 2^{23} types de gamètes sont possibles, sans tenir compte des *crossing-over.*

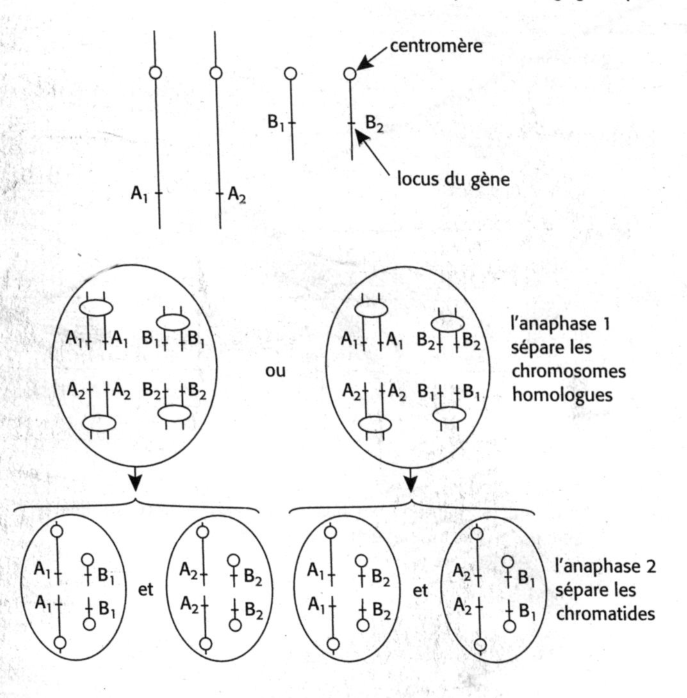

Lors de la méiose, le brassage interchromosomique répartit de façon aléatoire les chromosomes d'origines paternelle et maternelle dans les gamètes.

2 La fécondation et le brassage génétique

La fécondation réunit deux gamètes au hasard, chaque zygote formé est une des combinaisons possibles. Comme l'exprime un échiquier de croisement, une grande variété de génotypes est possible :

gamètes ♀ / ♂ gamètes	A_1B_1	A_1B_2	A_2B_1	A_2B_2
A_1B_1	$\frac{A_1}{A_1}\ \frac{B_1}{B_1}$	$\frac{A_1}{A_1}\ \frac{B_2}{B_1}$	$\frac{A_2}{A_1}\ \frac{B_1}{B_1}$	$\frac{A_2}{A_1}\ \frac{B_2}{B_1}$
A_1B_2	$\frac{A_1}{A_1}\ \frac{B_1}{B_2}$	$\frac{A_1}{A_1}\ \frac{B_2}{B_2}$	$\frac{A_2}{A_1}\ \frac{B_1}{B_2}$	$\frac{A_2}{A_1}\ \frac{B_2}{B_2}$
A_2B_1	$\frac{A_1}{A_2}\ \frac{B_1}{B_1}$	$\frac{A_1}{A_2}\ \frac{B_2}{B_1}$	$\frac{A_2}{A_2}\ \frac{B_1}{B_1}$	$\frac{A_2}{A_2}\ \frac{B_2}{B_1}$
A_2B_2	$\frac{A_1}{A_2}\ \frac{B_1}{B_2}$	$\frac{A_1}{A_2}\ \frac{B_2}{B_2}$	$\frac{A_2}{A_2}\ \frac{B_1}{B_2}$	$\frac{A_2}{A_2}\ \frac{B_2}{B_2}$

En associant les gamètes au hasard, la fécondation amplifie le brassage chromosomique effectué par la méiose.

3 Le brassage génétique, d'une génération à l'autre

A. Haploïdes

Chez le champignon *Sordaria,* le zygote subit une méiose (voir le cycle, page 31).

Selon qu'interviennent ou non des *crossing-over* entre le gène et le centromère, pendant la première prophase, la disposition des spores dans l'asque n'est pas la même.

Le recours à deux variétés différant par la couleur des spores permet de visualiser les conséquences des *crossing-over*, d'autant que, chez les haploïdes, tout allèle s'exprime, sans concurrence possible comme chez les diploïdes.

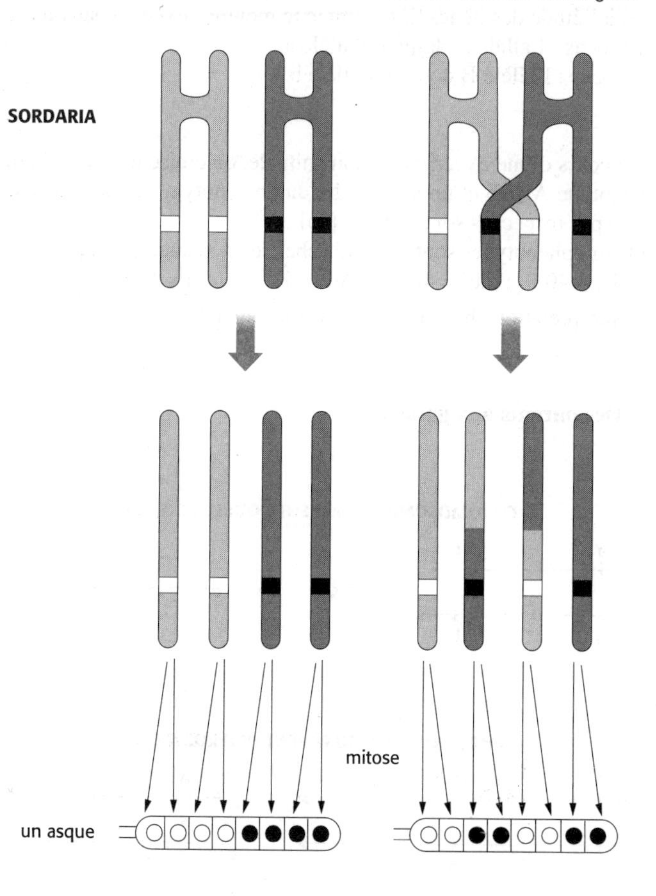

B. Diploïdes

Une étude limitée au brassage interchromosomique peut se faire à partir d'un caractère héréditaire, mais celle du brassage intrachromosomique exige une étude portant sur deux caractères dépendant de gènes localisés sur le même chromosome puisqu'alors des *crossing-over* sont possibles.

Les *test-cross,* croisements entre un individu hétérozygote et un individu récessif de sexe opposé, sont particulièrement bien adaptés à l'étude des gènes liés, comme le montre l'exemple suivant :
1er locus : l'allèle A domine l'allèle a,
2e locus : l'allèle B domine l'allèle b.

Au cours d'une expérimentation animale, on croise un individu de génotype AB/ab et un autre individu de génotype aa/bb. Les phénotypes respectifs sont [AB] et [ab].
Quatre phénotypes sont observés chez les descendants, selon :
[AB] = 40 % ; [ab] = 40 % ; [Ab] = 10 % ; [ab] = 10 %.

L'interprétation chromosomique est la suivante.

- **Des parents aux gamètes**

CHROMOSOMES DU PARENT DOUBLE RÉCESSIF

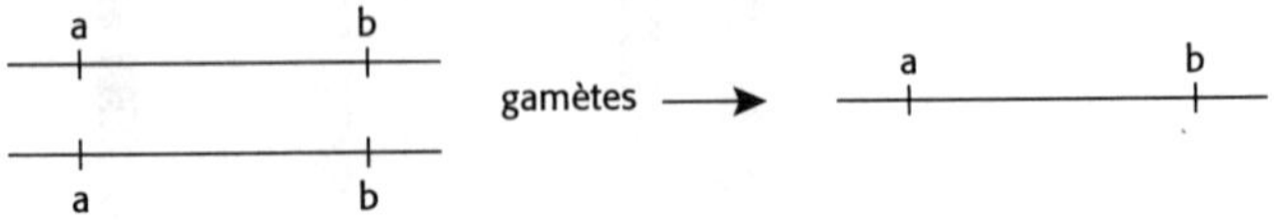

a b
a b
gamètes →
a b

CHROMOSOMES DU PARENT HÉTÉROZYGOTE

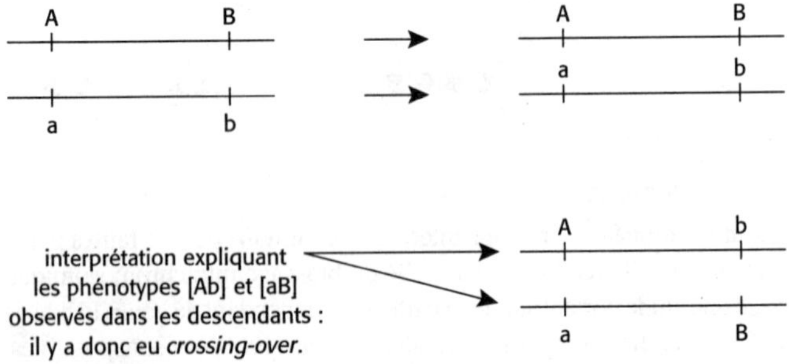

A B
a b
→ A B
→ a b

interprétation expliquant les phénotypes [Ab] et [aB] observés dans les descendants : il y a donc eu *crossing-over.*
→ A b
→ a B

La rencontre des gamètes

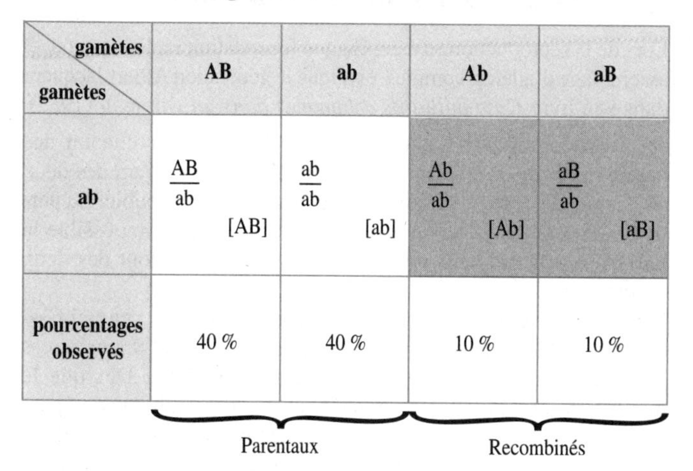

gamètes / gamètes	AB	ab	Ab	aB
ab	$\frac{AB}{ab}$ [AB]	$\frac{ab}{ab}$ [ab]	$\frac{Ab}{ab}$ [Ab]	$\frac{aB}{ab}$ [aB]
pourcentages observés	40 %	40 %	10 %	10 %

Parentaux — Recombinés

L'exploitation des résultats

Lors d'un *test-cross*, le pourcentage des individus recombinés donne celui des *crossing-over*, et c'est l'intérêt de ce test pour les généticiens.

On en déduit la distance qui sépare les gènes étudiés. En effet, un petit pourcentage indique que les gènes sont proches sur le chromosome, la probabilité pour qu'un *crossing-over* intervienne entre eux est faible.

Inversement, la probabilité d'une recombinaison entre gènes éloignés est forte. D'où l'établissement de **cartes génétiques** donnant la distance entre gènes en pourcentages de recombinaison, exprimée parfois en centimorgans : 1 centimorgan correspond à une fréquence de 1 % des recombinaisons.

Dans l'exemple ci-dessus, la distance entre les gènes A et B est de 20 centimorgans.

D'une génération à l'autre, l'information génétique est brassée par la méiose et la fécondation qui introduisent l'aléatoire dans la transmission des caractères.

4 L'UNICITÉ GÉNÉTIQUE DES INDIVIDUS

Lors de la reproduction sexuée, chaque fécondation réalise un nouvel assemblage d'allèles, comme l'explique le généticien Albert Jacquard dans son livre *Cinq milliards d'hommes dans un vaisseau* (1987).

« La procréation consiste en la transmission, par chacun des parents et pour chaque caractéristique élémentaire, d'un des deux allèles qu'il possède, ce qui constitue un ensemble double. La particularité essentielle de ce mécanisme est de rendre impossible la prévision de l'individu procréé, même si l'on sait tout des deux procréateurs.
Supposons que pour une caractéristique quelconque, ceux-ci possèdent l'un, les allèles a et b, l'autre, les allèles x et y, quatre cas sont possibles pour les enfants : ax, bx, ay et by. Dès que le nombre de caractéristiques grandit, celui des combinaisons possibles devient fabuleusement élevé et dépasse de loin les possibilités de notre imagination. Pour en prendre conscience, faisons un calcul rapide : un homme reçoit deux allèles différents pour plusieurs milliers de caractéristiques, admettons pour simplifier, le nombre 1 000 ; les combinaisons qui peuvent se trouver réalisées* lorsqu'il émet un spermatozoïde sont donc au nombre de $2^{1\,000}$, soit un nombre qui s'écrit avec 300 chiffres. »

* Par brassages inter- et intrachromosomique.

Chaque individu issu d'une reproduction sexuée hérite d'un assemblage inédit d'allèles, il est génétiquement unique.

4

DIVERSITÉ GÉNÉTIQUE DES POPULATIONS

point de départ

La génétique classique suit un petit nombre d'individus sur quelques générations. La génétique des populations étend son étude à des centaines ou à des milliers d'individus, en utilisant des méthodes statistiques.

Mots-clés *allèle, fréquence, génétique des populations, pool génétique, sélection*

1 DÉFINITION D'UNE POPULATION

A. Définition statistique

Les individus d'une population se reproduisent plus entre eux qu'avec les membres d'une autre communauté. C'est donc sur le choix des partenaires sexuels qu'est fondée la population. Vivre dans la même région et partager les mêmes habitudes socioculturelles augmente les chances d'union entre une femme et un homme. Les populations forment des sous-ensembles qui s'emboîtent les uns dans les autres (Bretons, Français, Européens…) et se côtoient sur le même territoire (groupes ethniques, religions différentes…). Du fait des unions entre les membres de populations différentes et des limites indécises, la définition n'a qu'une valeur statistique.

B. Définition génétique

Une population est définie par l'ensemble des allèles qu'elle possède et qui sont répartis au hasard entre les individus. La génétique des populations étudie la fréquence des génotypes et des allèles dans les populations.

La génétique des populations permet une approche du patrimoine génétique à l'échelle de l'espèce.

2 La fréquence des allèles au sein des populations

A. Un équilibre théorique

Les allèles d'un gène n'ont pas tous la même fréquence, à un moment donné, au sein d'une population. Leurs fréquences ne changeraient pas dans une population qui correspondrait au **modèle théorique** suivant : croisements au hasard, pas de sélection, pas de mutation, pas de migrations, effectif élevé. Dans ces conditions, pour 2 allèles, A et a, les proportions de A et a resteraient constantes, ainsi que celles des génotypes AA, Aa et aa. Mais aucune population naturelle ne répond à ces conditions et, par conséquent, les fréquences alléliques évoluent.

B. Sélection

- **Principe.** Pour certains caractères, les chances de survie des individus et donc les chances de reproduction, changent en fonction du génotype. Si le génotype aa de l'exemple précédent est défavorable, l'allèle a est progressivement éliminé, même si Aa est viable.

- **Sélection et milieu.** Un génotype n'est parfois favorable ou défavorable qu'en fonction du milieu dans lequel vit l'individu, comme le montre l'exemple de la **drépanocytose** ou anémie falciforme, qui atteint de nombreux sujets d'Afrique équatoriale.

Le gène codant pour l'hémoglobine des globules rouges existe sous deux formes alléliques A et S. L'allèle A est normal, l'allèle

S code pour une hémoglobine qui ne fixe pas normalement l'oxygène. A et S sont codominants.
Génotype A/A : hémoglobine A, sujets normaux.
Génotype A/S : hémoglobine A et hémoglobine S, hétérozygotes, sains ou très légèrement malades.
Génotype S/S : hémoglobine S, anémie grave et souvent mortelle.
Les sujets de génotype A/A ou A/S se reproduisent, contrairement aux malades S/S, d'où la fréquence faible, moins de 5 %, de l'allèle S.
La fréquence de S est exceptionnellement élevée en Afrique équatoriale, avec une moyenne voisine de 25 %. On a remarqué la coïncidence entre la zone d'Afrique équatoriale où l'on rencontre la drépanocytose et l'aire de répartition géographique du paludisme, dû à un Protozoaire parasite des globules rouges.
Le vecteur du paludisme est le Moustique anophèle. Les deux maladies sévissant dans les mêmes régions, on a constaté que les sujets hétérozygotes A/S sont plus résistants au paludisme que tous les autres. Le génotype A/S leur donne donc un avantage sélectif en augmentant leur chance de survie et de reproduction. L'environnement joue un rôle important en favorisant les Moustiques (à reproduction aquatique).

Par le jeu de la sélection, le milieu intervient sur la fréquence d'un allèle dans une population.

▶ C. L'effectif de la population

- **Effectif important.** Le choix des partenaires est grand et non contraignant, favorisant le libre échange des gènes et donc la stabilité des fréquences alléliques.

- **Effectif faible.** L'isolement d'un groupe peut être géographique (île ou montagne…) ou imposé par la société (mariages au sein d'une communauté bien définie). La probabilité pour que soient associés, chez les individus, deux allèles semblables augmente. Les hétérozygotes deviennent moins nombreux que dans d'autres populations.

- **Effet fondateur.** Il arrive qu'un petit groupe se sépare d'une population et en fonde une autre population qui reste tout d'abord isolée : conquête d'un nouveau territoire par exemple.

Les allèles du groupe fondateur représentent un échantillon de ceux de la population d'origine. C'est à partir de ce *pool* génétique particulier que se poursuit l'évolution génétique.

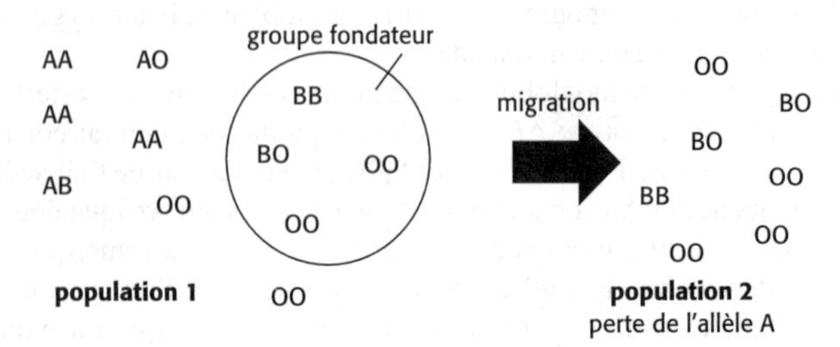

Ainsi, le groupe sanguin O domine largement chez certains peuples d'Indiens d'Amérique, ce qui peut être interprété comme la conséquence de l'arrivée sur de nouvelles terres de quelques fondateurs se trouvant par hasard de groupe O (double récessif).

D. Les migrations

Les migrations mélangent les populations, en formant de nouvelles populations, à plus grand effectif, avec plus d'allèles mis en commun. Elles diminuent les divergences génétiques.

> À l'origine, les mutations sont accidentelles, mais le devenir des allèles d'un gène n'est pas aléatoire. Les fréquences relatives des allèles d'un gène fluctuent, surtout en fonction de l'effectif des populations et de l'influence du milieu.

3 Les divergences génétiques entre populations

A. Pas d'allèles particuliers à une population

Que ce soit pour les caractères visibles comme la couleur de la peau ou invisibles comme les groupes sanguins, tous les individus d'une espèce ont les mêmes gènes et les mêmes variétés alléliques, il n'y a pas de marqueur de population.

B. La fréquence relative des allèles change

L'étude génétique des marqueurs du soi dans le sang démontre l'absence de relation entre la diversité physique des hommes et leur diversité génétique.

1. Système sanguin ABO

Deux allèles, parmi trois possibles, déterminent le groupe sanguin, parmi quatre possibles (voir page 16). Le document suivant donne la fréquence des allèles pour quelques populations. Il montre que deux populations géographiquement éloignées peuvent avoir des fréquences alléliques voisines (Français, Esquimaux) et que les répartitions particulières (allèle unique) se rencontrent dans des groupes éthniques formant des sous-ensembles à l'intérieur d'un continent (Indiens d'Amérique).

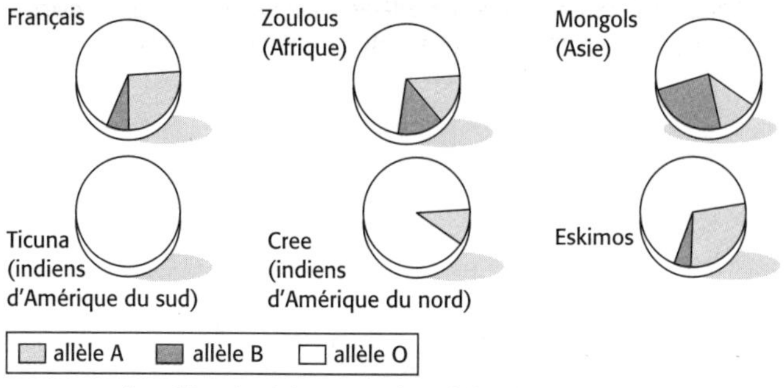

Répartition des fréquences des allèles du système ABO dans 6 populations humaines.

2. Systèmes Rhésus et HLA

Les données suivantes concernent, d'une part, un des génotypes du groupe sanguin Rhésus déterminé par trois gènes (CDE), d'autre part, le génotype correspondant à un des nombreux marqueurs du système HLA.

	Noirs africains	Européens	Japonais
CDE	**10 %**	**12 %**	30 %
HLA, A2	27 %	**45 %**	**43 %**

Ces fréquences mettent en évidence une ressemblance entre Africains et Européens pour un gène et entre Européens et Japonais pour un autre. D'où l'impossibilité de classer les populations.

C. Les divergences génétiques sont progressives

D'une population à l'autre, les fréquences d'allèles ne changent pas brutalement mais selon un gradient géographique. La fréquence de l'allèle B du système sanguin ABO a été estimée ainsi : France 5-10 % ; Afrique du nord 10 à 15 % ; Afrique équatoriale et du sud 15-20 %.
De même, d'Ouest en Est, la variation est progressive depuis 10 % en France jusqu'à 20-25 % en Russie.

Deux populations humaines distinctes ont les mêmes gènes et allèles mais la fréquence des allèles n'est pas la même. La divergence génétique est donc quantitative et non qualitative.

5
LES PRÉVISIONS EN GÉNÉTIQUE HUMAINE

point de départ

Pour certains caractères héréditaires, des prévisions en termes de probabilités sont possibles en génétique humaine, à condition que le gène responsable soit connu. On peut évaluer le risque pour un couple d'avoir des enfants atteints d'une maladie génétique.

Mots-clés *allèle, autosome, chromosome sexuel, dominant, gène, génotype, hétérozygote, homozygote, phénotype, probabilité, récessif*

1 PRINCIPES DE LA PRÉVISION GÉNÉTIQUE

Une maladie génétique n'est prévisible que si l'on connaît son origine : anomalie chromosomique ou génique, et dans ce second cas, si l'allèle est dominant ou récessif, s'il est situé sur un autosome ou sur un chromosome sexuel.
Ainsi, la **mucoviscidose,** maladie héréditaire grave associant troubles digestifs et respiratoires est une :
- maladie **génique ;**
- dont l'allèle déficient est **récessif ;**
- dont le gène est situé sur un **autosome.**

▶ A. Il n'y a pas d'antécédents connus dans la famille

Pour un certain nombre de maladies, la fréquence de l'allèle responsable est connue.
Pour la mucoviscidose, on sait qu'en France, 1 individu sur 25 environ est hétérozygote, de génotype N/m :
– N, allèle normal ;
– m, allèle déficient ;
– phénotype [N], normal, mais l'hétérozygote N/m peut transmettre la maladie.
Le risque que le père **et** la mère soient de génotype N/m est de $1/25 \times 1/25 = 1/625$.
Le risque que le père **et** la mère soient hétérozygotes **et** qu'ils aient un enfant atteint de génotype m/m est : $1/25 \times 1/25 \times 1/4 =$ **1/2 500.**
Pourquoi $1/25 \times 1/25$? La probabilité qu'un couple soit formé de deux hétérozygotes N/m est égale au produit des probabilités de chaque génotype, car ce sont des événements indépendants.
Pourquoi $\times 1/4$? Un sujet hétérozygote produit à égalité (par méiose) des gamètes N et m. Lors de la fécondation, les probabilités de rencontre des gamètes sont exprimées dans l'échiquier suivant :

gamètes ♂ / ♀ gamètes	**N**	**m**
N	N/N	N/m
m	N/m	m/m

N/N homozygote, normal, probabilité 1/4.
N/m hétérozygote, normal, probabilité 1/2.
m/m homozygote, mucoviscidose, probabilité 1/4.

Cela correspond aux probabilités 3/4 pour le phénotype [N] et **1/4** pour [m].

▶ B. La maladie s'est déjà manifestée dans la famille

Une enquête familiale permet d'établir un bilan, souvent présenté sous la forme d'un arbre généalogique. Deux situations seront envisagées.

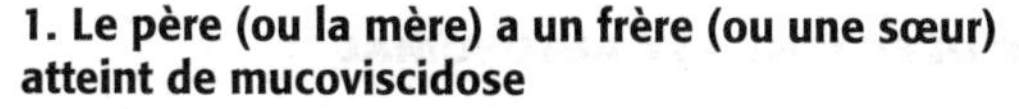

1. Le père (ou la mère) a un frère (ou une sœur) atteint de mucoviscidose

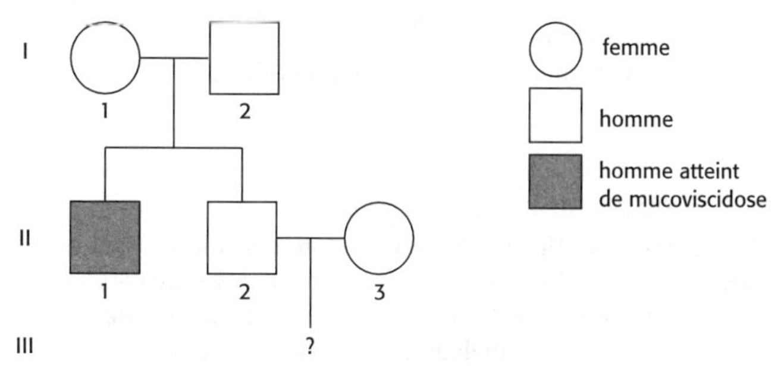

● Des parents sains ont un enfant atteint : la maladie est récessive. À l'échelle de plusieurs familles, on observe que la mucoviscidose est répartie de façon égale entre hommes et femmes : le gène est donc sur un autosome.

● Génotypes : I.1 et I.2 : N/m ; II.1 : m/m ; II.2 et II.3 : N/N ou N/m. Malade, II.1 a le génotype m/m. L'allèle m lui a été transmis par ses parents, chez lesquels il ne s'exprime pas. I.1 et I.2 ont donc le génotype N/m. L'échiquier de croisement précédent donne la probabilité 1/2 pour qu'ils aient un enfant hétérozygote.

● Le risque pour que II.2 et II.3 soient hétérozygotes est : $1/2 \times 1/25 = 1/50$.

● Le risque de mucoviscidose pour chaque enfant à naître est : $1/2 \times 1/25 \times 1/4 =$ **1/200,** au lieu de 1/2 500 (cas précédent).

2. Le père et la mère ont un frère (ou une sœur) atteint de mucoviscidose

Chacun a une chance sur deux d'être hétérozygote (même situation que le sujet II.2 de l'arbre généalogique précédent). La probabilité pour qu'ils le soient **tous les deux** est : $1/2 \times 1/2 = 1/4$.
Le risque de mucoviscidose à chaque naissance est :
$1/4 \times 1/4 =$ **1/16.**

2 LE GÈNE DÉFICIENT EST AUTOSOMAL

A. L'allèle anormal est récessif

C'est le cas de la mucoviscidose, étudiée ci-dessus.

B. L'allèle anormal est dominant

C'est le cas de la **chorée de Huntington,** maladie se manifestant seulement après 30 ans, par des mouvements saccadés et des troubles psychiatriques. Deux couples d'une même famille s'interrogent sur les risques de maladie pour les enfants à venir :

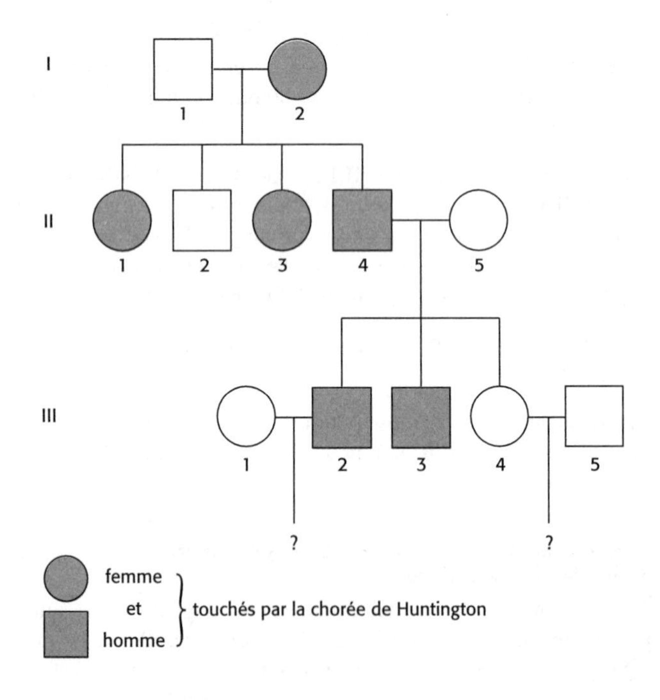

La maladie se manifeste à toutes les générations. Un sujet atteint a obligatoirement un parent (père ou mère) atteint : l'allèle est dominant, noté C. Si hommes et femmes sont concernés à égalité par la maladie, on peut penser qu'elle dépend d'un gène situé sur un autosome.
Génotypes. Pour tous les individus sains : n/n ; pour tous les malades : C/n et non C/C car ils ont tous reçu ou transmis n.

● **Risque pour le couple III.1-2 d'avoir un enfant atteint ?**
On notera les allèles C pour malade (majuscule pour l'allèle dominant) et n pour normal :
– III.1 est de génotype n/n ; gamètes : n
– III.2 est de génotype C/n (C hérité de son père, n de sa mère). Gamètes C : 50 % ; gamètes n : 50 %.
Les probabilités de rencontre des gamètes sont exprimées par un échiquier de croisement :

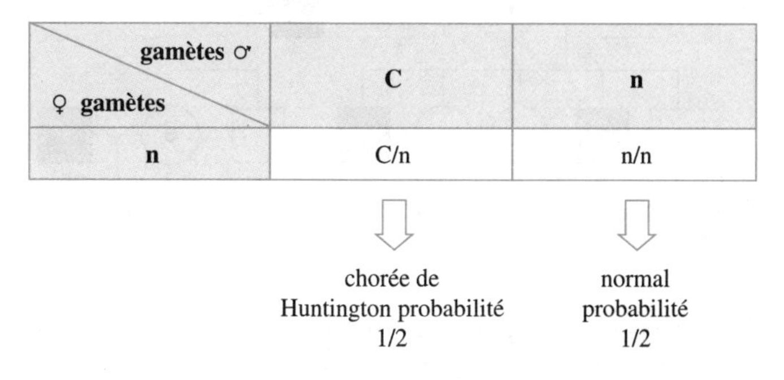

gamètes ♂ / ♀ gamètes	**C**	**n**
n	C/n	n/n

● **Risque pour le couple III.4-5 d'avoir un enfant atteint ?**
De génotype n/n, puisque sains, ces futurs parents n'ont pas plus de risque d'avoir un enfant atteint que deux sujets pris au hasard dans la population.
On ne compte que 5 à 10 cas de chorée de Huntington pour 100 000 personnes, selon les pays.

3 LE GÈNE DÉFICIENT EST SUR UN CHROMOSOME SEXUEL

Quelques maladies, comme la myopathie de Duchenne et l'hémophilie sont beaucoup plus fréquentes chez les hommes que chez les femmes. L'allèle déficient est récessif et localisé sur le chromosome X.

● **L'hémophilie B** est une maladie héréditaire rare caractérisée par une déficience de la coagulation du sang. Le document suivant représente l'arbre généalogique d'une famille dont certains membres sont hémophiles :

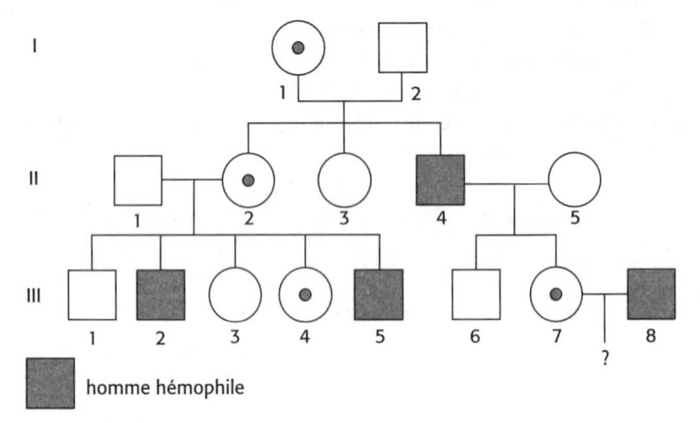

Les hémophiles II.4, d'une part, III.2, d'autre part, ont des parents normaux : la maladie est récessive, on note h l'allèle responsable. Les quatre hémophiles sont des hommes. D'une famille à l'autre, on observe que presque tous les hémophiles sont des hommes : le gène codant pour le facteur de coagulation du sang est sur le chromosome X. Notons que s'il était sur Y, un fils hémophile aurait obligatoirement un père hémophile. Génotypes :

– hémophiles : X_h/Y ;
– hommes sains : X_N/Y ;
– femmes ayant un père ou un fils hémophile : X_N/X_h, conductrices de la maladie, repérées par un point ;
– autres femmes : X_N/X_N.

Quelle est, à chaque naissance, le risque pour le couple III.7-8 d'avoir un enfant hémophile ?

Recherchons le génotype des parents. La femme III.7 dispose de l'allèle N puisque saine et de h, seul allèle que son père lui a transmis avec X. Son génotype est X_N/X_h. Hémophile, son conjoint a le génotype X_h/Y. Lors de la formation des gamètes, il y a équiprobabilité des ovocytes X_N et X_h, équiprobabilité des spermatozoïdes X_h et Y. Les génotypes possibles pour leurs enfants :

gamètes ♂ / gamètes ♀	X_h	Y
X_N	X_N/X_h femme vectrice	X_N/Y homme sain
X_h	X_h/X_h femme hémophile	X_h/Y homme hémophile

Conclusion : à chaque naissance, la probabilité est : 1/2 : enfant hémophile ; 1/2 : enfant sain (garçons sains, filles vectrices).

4 Schémas récapitulatifs

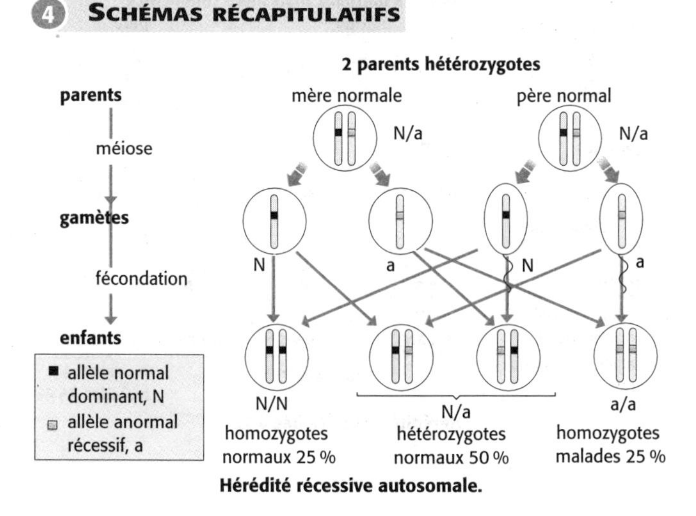

Hérédité récessive autosomale.

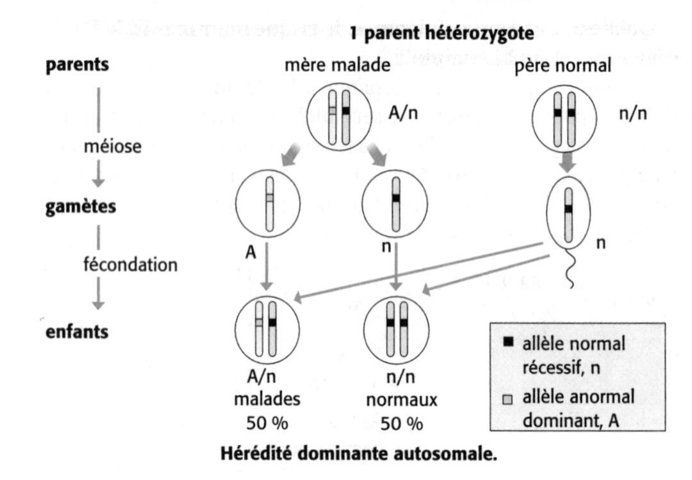

Hérédité dominante autosomale.

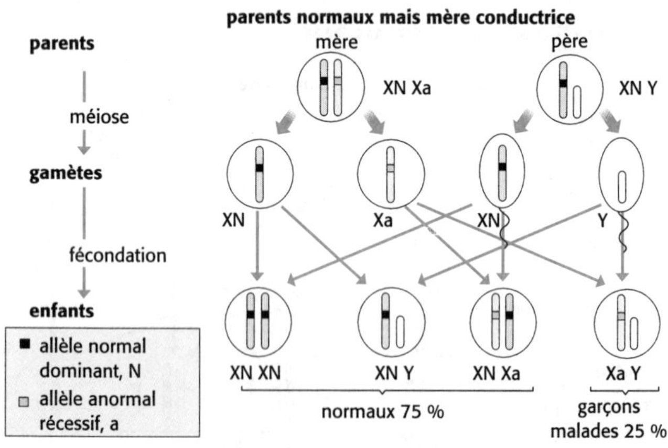

Hérédité récessive liée à X.

5 LES LIMITES DES PRÉVISIONS GÉNÉTIQUES

Les prévisions génétiques ne sont pas sûres à 100 %. Quelques-unes des causes de leur caractère aléatoire sont exposées ci-après.

A. Les mutations géniques

Il se peut qu'un allèle déficient soit nouveau dans une famille, résultant d'une mutation récente ayant affecté des cellules reproductrices de l'un des ascendants, ou de plusieurs, s'il s'agit d'une anomalie récessive. Les allèles déficients récessifs ont pu être transmis pendant plusieurs générations sans s'être exprimés, le mariage entre deux hétérozygotes peut révéler leur présence.

B. Les anomalies chromosomiques

Un accident de méiose chez l'un des parents peut donner des gamètes de caryotype anormal. Après fécondation, l'enfant hérite, par conséquent, d'un programme génétique anormal et peut être victime d'une anomalie qui avait échappé à toute prévision. Par exemple, pour une maladie récessive dont l'allèle déficient est m, on avait pu prévoir que les filles auraient le génotype X_N/X_m et seraient normales, mais si un gamète est dépourvu de X à la suite d'un accident de méiose, le génotype X_m/O peut être réalisé. Outre la stérilité due au caryotype incomplet, la maladie correspondant à l'allèle m se manifeste, déjouant les probabilités établies.

C. La maladie est multifactorielle

Lorsqu'une maladie génétique ne dépend que d'un seul locus, la prévision est relativement simple ; mais certaines dépendent de plusieurs gènes et il devient beaucoup plus difficile de ne pas se tromper.

Les prévisions en génétique humaine sont une application de la connaissance des mécanismes de la transmission des gènes d'une génération à l'autre. Les prévisions statistiques changent selon que l'allèle déficient est dominant ou récessif, qu'il est sur un autosome ou sur un chromosome sexuel.

APPLICATIONS ET IMPLICATIONS DES CONNAISSANCES EN GÉNÉTIQUE HUMAINE

De nouvelles techniques d'étude des chromosomes et de l'ADN sont actuellement mises au service d'une meilleure connaissance du génome humain, y compris dès le stade embryonnaire.
En ouvrant des perspectives nouvelles, les progrès de la génétique soulèvent des problèmes de bioéthique.

1. Le diagnostic prénatal d'anomalies chromosomiques

Des cellules fœtales sont prélevées au stade le plus précoce possible (dès 10 semaines).
On choisit, par exemple, de cellules des villosités choriales, qui se développent autour de l'embryon et proviennent, comme lui, du développement du zygote.
Un caryotype est établi par classement des chromosomes d'une cellule métaphasique. On le compare au caryotype normal de formule 46, XX ou 46, XY.

a. Anomalies de nombre

- **Les autosomes**

Une trisomie peut être détectée, un chromosome ayant 3 exemplaires au lieu de 2.
La plus courante est la trisomie 21, ou syndrome de Down qui entraîne des troubles physiques et une arriération mentale. Inversement, un déficit en chromosomes est possible, mais aucune monosomie d'autosome n'est viable.

- **Les chromosomes sexuels**

Quatre exemples de caryotypes anormaux :
45, XO syndrome de Turner, femme stérile ;
47, XXX femme, anomalies parfois peu prononcées ;
47, XXY homme, stérile ;
47, XYY homme, grande taille.

b. Anomalies de structure

Quelques situations sont représentées ici pour deux paires de chromosomes homologues et leurs gènes. Les anomalies correspondantes sont plus ou moins graves en fonction des gènes réellement concernés.

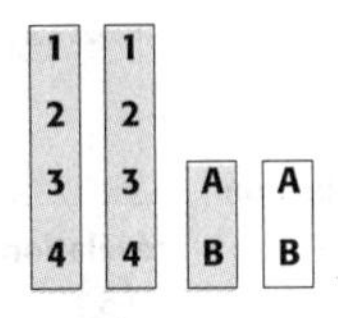

témoin :
caryotype normal
chaque gène est en
2 exemplaires

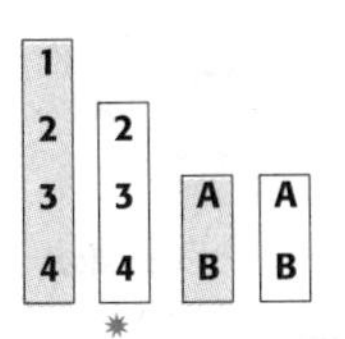

délétion :
le gène 1
n'est représenté
qu'une fois

▶ anomalie

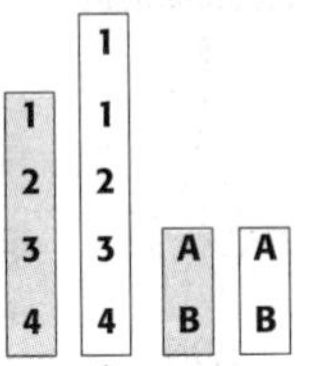

duplication :
trisomie
partielle, le gène 1
est présent
trois fois

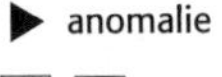

▶ anomalie

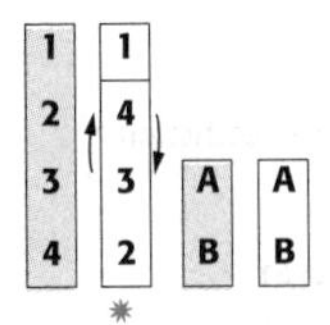

inversion :
de la zone 2 3 4

▶ anomalie

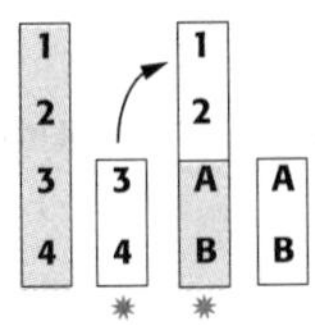

translocation :
équilibrée

▶ pas d'anomalie
mais gamétogenèse
anormale

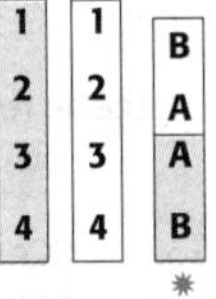

translocation :
par fusion
de 2 chromosomes

▶ anomalie si gènes
importants au point
de suture

2. Le diagnostic prénatal d'anomalies géniques

a. Principe d'une analyse d'ADN

L'ADN extrait de cellules fœtales est traité selon les méthodes du génie génétique dans le but de diagnostiquer la présence d'une séquence donnée. La méthode Southern, est décrite ci-après.

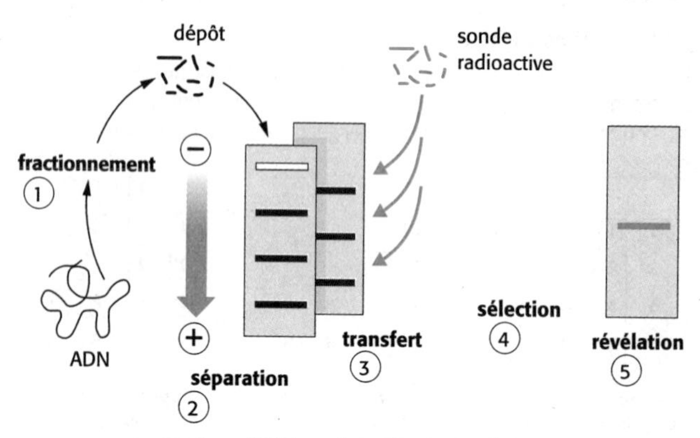

Analyse d'ADN par la méthode Southern.

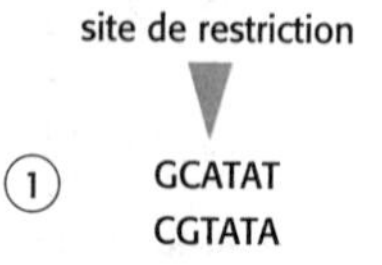

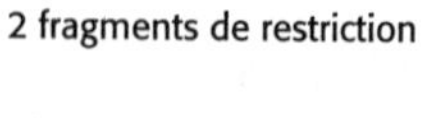

GC ATAT
CG TATA

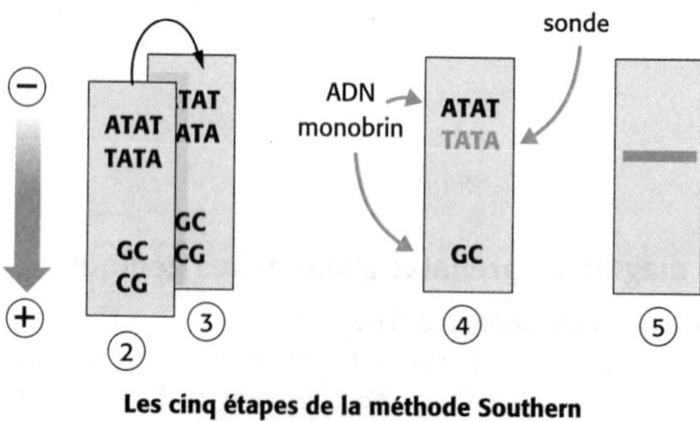

Les cinq étapes de la méthode Southern illustrées pour une séquence d'ADN.

① **Fractionnement**
Des enzymes de restriction coupent l'ADN en des sites spécifiques. Les segments obtenus sont de tailles différentes.

② **Séparation par électrophorèse**
Elle sépare et trie les fragments. L'ADN est déposé dans un puits creusé dans un gel, la largeur de ce sillon détermine celle des bandes qui seront observées sur le document final. Le système est soumis à un champ électrique. Les fragments d'ADN sont attirés par le pôle positif. Les petits fragments migrent rapidement dans le gel, les grands sont lents, d'où le classement qui en résulte lorsqu'on supprime le champ électrique.

③ **Transfert**
Un filtre spécial est appliqué contre le gel. Par capillarité, les bandes d'ADN passent sur le filtre.

④ **Sélection**
Par traitement thermique ou chimique, l'ADN est dénaturé, ses deux brins se séparent. On ajoute des fragments d'acides nucléiques (ADN monobrin ou ARN) rendus radioactifs dont on a choisi la séquence en fonction de l'ADN recherché. Ces sondes moléculaires détectent les fragments d'ADN qui leur sont complémentaires et s'y fixent en établissant des liaisons base-base. Un lavage élimine les sondes restées libres.

⑤ **Révélation par autoradiographie**
Le système est mis en contact avec un film photographique. Son impression par les molécules radioactives, et elles seules, fait apparaître des bandes sombres. Le document peut alors être lu.

b. Qu'est-ce qu'une sonde moléculaire ?

C'est un fragment d'ADN (ou ARN) utilisé dans le but de détecter, par hybridation, une séquence d'ADN.
Exemple : recherche de la séquence TACTAC dans une molécule d'ADN.
Synthèse de la sonde :

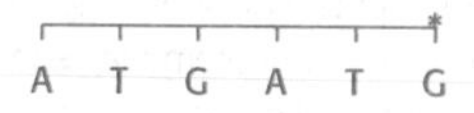

L'addition d'un composé radioactif (*) ou fluorescent permet de repérer la sonde.
Les bases sont complémentaires de celles de l'ADN à reconnaître (A ↔ T, G ↔ C).

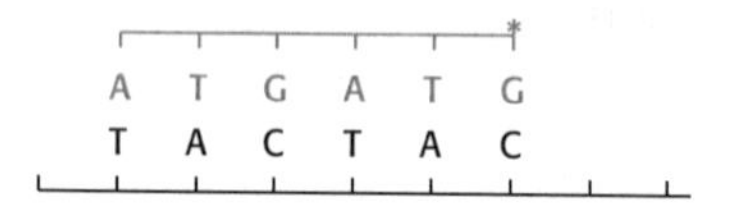

La sonde est mise en présence d'un des brins de l'ADN. Si elle s'hybride (se lie) avec un segment de ce brin, c'est qu'elle a reconnu une séquence complémentaire. La séquence TACTAC est donc présente dans l'ADN testé.

c. Application à la drépanocytose

Cette maladie génétique est due à la version déficiente d'un gène codant pour l'hémoglobine des hématies. L'allèle A code pour l'hémoglobine A, normale. L'allèle S pour l'hémoglobine S, anormale. Les deux allèles sont codominants. Les individus de génotype A/A et A/S sont normaux mais

les homozygotes S/S sont malades, n'ayant pas d'hémoglobine normale.
La mutation est ponctuelle et consiste en une substitution :

ADN normal CTC → ARNm GAG, code l'acide aminé GLUTAMINE

ADN muté CAC → ARNm GUG, code l'acide aminé VALINE.

Deux méthodes de diagnostic peuvent être appliquées.

Diagnostic utilisant des sondes moléculaires

On cherche à savoir si l'ADN d'un fœtus comprend la séquence normale CTC ou la séquence anormale GTG. Deux chaînes de nucléotides complémentaires de ces séquences sont synthétisées, comprenant donc GAG pour l'une et CAC pour l'autre. L'ADN des cellules fœtales est soumis à l'analyse « Southern ». Les séquences synthétisées sont utilisées comme sondes susceptibles de s'hybrider avec les séquences d'ADN analysé.

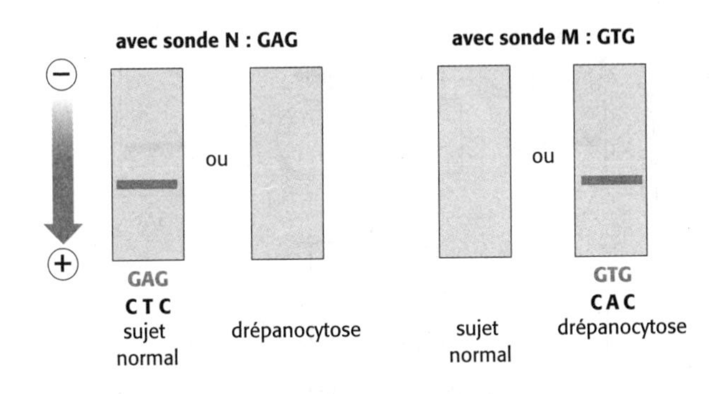

Diagnostic utilisant une enzyme de restriction

On utilise une enzyme qui coupe en plusieurs sites la molécule de l'ADN testé. La séquence modifiée par la mutation « drépanocytose » n'est plus reconnue, il n'y a donc pas de coupure à ce niveau.

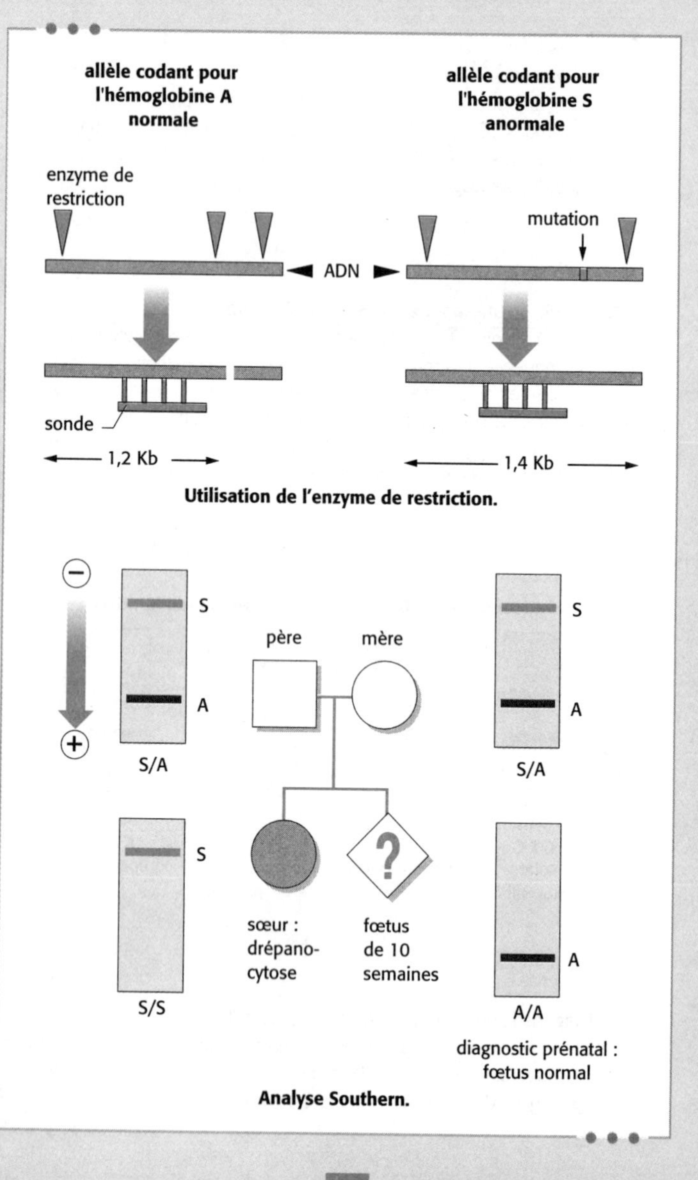

Utilisation de l'enzyme de restriction.

Analyse Southern.

L'ADN est ensuite soumis à l'analyse « Southern ». La sonde choisie s'hybride dans tous les cas avec un segment de l'ADN, plus ou moins long selon l'effet de l'enzyme.
Le segment comprenant la mutation (allèle S), étant plus long, migre moins vite, donc moins loin lors de l'électrophorèse. Le diagnostic prénatal est favorable dans l'étude familiale précédente. Le génotype de l'enfant attendu permet la synthèse d'hémoglobine A, contrairement à celui du premier enfant, atteint de drépanocytose.

3. Les empreintes génétiques

a. Le principe de la méthode

Des portions non codantes d'ADN, situées entre les gènes, sont répétées un certain nombre de fois. Le nombre de motifs répétés est très variable. Il n'est pas identique pour deux chromosomes homologues et varie d'un individu à l'autre.
L'analyse de l'ADN extrait des cellules d'un organisme permet de visualiser cette variabilité. Des enzymes de restriction (E) coupent la molécule aux extrémités des séquences répétées, isolant ainsi des fragments de longueur variable.

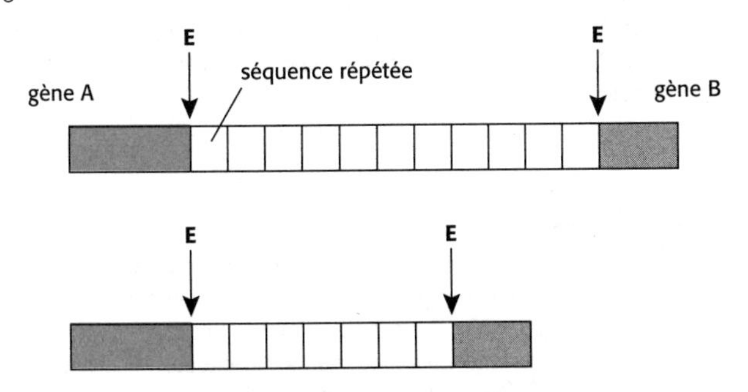

Deux chromosomes homologues.

Soumis à une électrophorèse, les fragments d'ADN se répartissent le long du support. Sorte de « code barre », le document obtenu constitue une empreinte caractéristique de l'individu. Seuls les vrais jumeaux ont la même empreinte.

b. Applications

- **Recherche de parenté**

Comme le montre le document suivant, chaque bande de l'empreinte d'un enfant a son équivalent sur l'empreinte de l'un des parents. Il est donc possible d'utiliser ces empreintes pour des recherches de paternité.

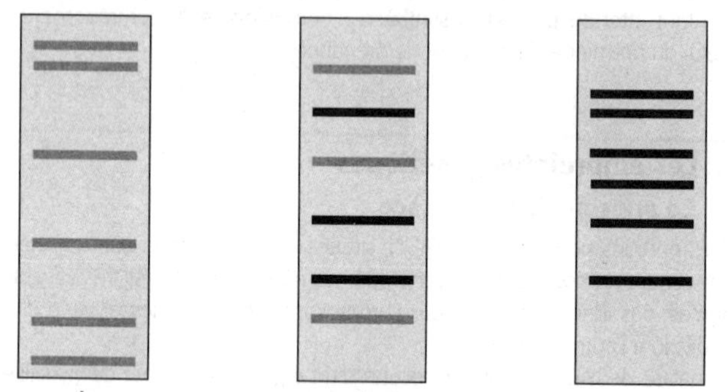

- **Criminologie**

Les traces de sang ou de sperme, les racines de cheveux, contiennent des cellules à partir desquelles on peut extraire de l'ADN et obtenir des empreintes génétiques. La comparaison avec les empreintes de suspects établit leur culpabilité ou les innocente.

4. ADN et bioéthique

Les récentes applications de la génétique humaine impliquent de nouveaux problèmes, comme le montrent ces quelques exemples.

– Un test prénatal informe de futurs parents que le fœtus de 10 semaines est atteint d'une maladie génétique qui ne lui causera aucun trouble mais entraînera, plus tard, la formation de gamètes anormaux. Vont-ils demander une interruption de grossesse ?

– Un test génétique pratiqué chez l'enfant fait apparaître aux médecins qu'il a hérité de l'allèle dominant de la chorée de Huntington. Les parents doivent-ils en être informés ? Devront-ils dire un jour à l'enfant qu'il sera victime, vers 35 ans, d'une maladie grave actuellement incurable ?

– De futurs parents (fortunés) se voient proposer l'injection au fœtus de gènes susceptibles d'améliorer le développement physique ou intellectuel (au choix)…
– Un pays impose de porter sur la carte d'identité obligatoire les empreintes génétiques. Est-ce acceptable ?
Les réponses sont laissées au jugement de chaque lecteur.

Parallèlement aux progrès sur le génome humain, la société doit s'aider de règles éthiques qui respectent l'Homme sans définir *a priori* de « modèle idéal ».

Prêts pour le bac ?

1 L'unicité des individus
(Restitution organisée des connaissances)

Chaque individu d'une population est unique.

Question : *Vous montrerez que la méiose conduit à des combinaisons alléliques nouvelles, à l'origine de l'unicité des individus ; vous appuierez votre exposé sur des schémas soigneusement légendés.*

POUR VOUS GUIDER

La méiose, dans le cycle de reproduction des organismes diploïdes, aboutit à la formation des gamètes.

1. Le brassage génétique interchromosomique

Effectuer des schémas de méiose pour deux paires de chromosomes. Placer deux gènes indépendants et leurs allèles en choisissant des symboles comme A_1 et A_2, B_1 et B_2.

Ne pas dessiner toutes les phases des divisions mais se limiter à :

– l'anaphase I, avec les deux répartitions possibles des chromosomes, A_1 avec B_1 ou B_2 ;

– l'anaphase II, montrant qu'il y a 4 génotypes possibles : A_1B_1, A_1B_2, A_2B_1, A_2B_2. Voir page 22.

Bilan : nombreuses combinaisons de *n* chromosomes dans les gamètes.

2. Le brassage intrachromosomique

Schématiser un *crossing-over* entre deux chromosomes homologues (prophase I). Le *crossing-over* doit passer entre deux gènes, chacun étant représenté par deux allèles. Voir page 33.

Bilan : après la prophase I de méiose, les chromosomes sont porteurs de combinaisons alléliques nouvelles.

Conclusion : la fécondation, en associant, au hasard, un spermatozoïde et un ovocyte, amplifie le brassage génétique.

Une population est génétiquement caractérisée par ses allèles. À chaque méiose, ces allèles sont redistribués de façon originale sur les chromosomes des gamètes. Il en résulte que les individus composant la population sont uniques.

2 Hémophilie
(Exploitation de documents)

On se propose de déterminer la probabilité pour un couple de donner naissance à un enfant atteint d'une maladie héréditaire.

L'hémophilie B est une maladie héréditaire monogénique rare, caractérisée par une déficience des systèmes enzymatiques intervenant dans la coagulation du sang.

Document 1

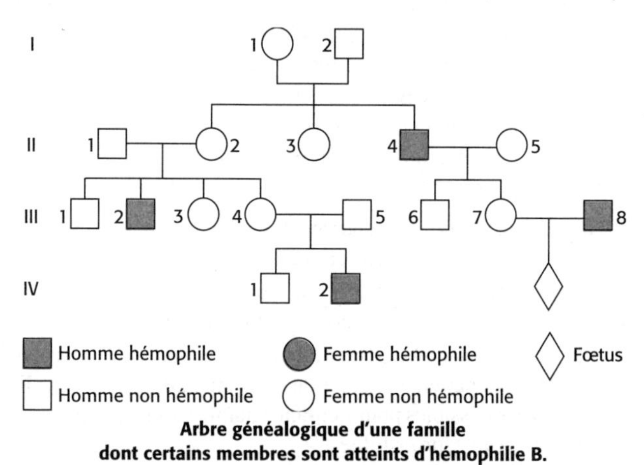

Arbre généalogique d'une famille dont certains membres sont atteints d'hémophilie B.

Des techniques récentes permettent de déterminer la nature et le nombre d'allèles à partir de l'analyse de chromosomes à une chromatide dans des cellules diploïdes. Les résultats a, b, c, d, e et f du tableau ci-après (document 2) concernent 6 personnes de cette famille.

Document 2. Résultat d'analyse de chromosomes à une chromatide.	a	b	c	d	e	f
Nombres d'allèles « responsables du caractère non hémophile »	1	0	1	2	1	1
Nombre d'allèles « responsables de l'hémophile B »	1	1	0	0	0	1

Question : *Déterminez la probabilité pour le couple 7-8 de donner naissance à un enfant atteint de l'hémophilie B (vous préciserez les étapes de votre raisonnement).*

POUR VOUS GUIDER

La démarche consiste à rechercher le mode de transmission de la maladie puis à appliquer les résultats de cette première partie à la résolution de la question posée.

Bilan de la **première partie :** maladie récessive (des enfants malades ont des parents sains), liée au sexe. Le document 2 montre en effet que certains individus n'ont qu'un allèle impliqué. La possibilité « Y responsable » est éliminée car des pères sains ont un fils atteint, on retient la solution X porteur du gène.

Symboles possibles pour l'écriture des génotypes : allèle S pour « sain » (dominant) et h pour « hémophilie », soit XS et Xh, pour les chromosomes porteurs de ces allèles. Y, non concerné par cette transmission (donc pas d'allèle).

En **deuxième partie :** la recherche des génotypes possibles pour le fœtus passe obligatoirement par celle des génotypes des parents.

La femme, III7, possède XS car saine, et Xh, son père étant hémophile. L'homme, III8, possède Xh puisque hémophile.

Les génotypes étant XS/Xh et Xh/Y, les fécondations possibles seront données par un échiquier de croisement dans lequel on lira les génotypes possibles pour l'enfant à naître. Ces génotypes sont :
XS/Xh, fille saine, probabilité 1/4 ;
Xh/Xh, fille hémophile, probabilité 1/4 ;
XS/Y, garçon sain, probabilité 1/4 ;
X_hY garçon hémophile, probabilité 1/4.

Réponse finale : probabilité 1/2 pour que les parents 7-8 aient un enfant hémophile.

Partie 2

Mécanismes de l'immunité

Avant de commencer

QUELQUES RAPPELS SUR L'IMMUNITÉ

- Chez un individu, une substance ou une cellule étrangère est détectée et déclenche des réactions tendant à l'éliminer.

- Au contraire, les cellules de l'organisme ne provoquent pas de réaction de la part du système immunitaire.

- L'organisme reconnaît donc le **non-soi,** qui entraîne des réactions permettant la **défense du soi.**

- Ces réactions qui se produisent dans un organisme en réponse à la présence d'éléments étrangers sont des **réactions immunitaires.**

- L'organisme dispose de **défenses non spécifiques,** applicables à tout type d'élément étranger pénétrant dans l'organisme.
Exemple : **phagocytose** des microbes par les leucocytes.

- L'organisme dispose aussi de **défenses spécifiques,** adaptées à chaque type de molécules du non-soi.
Exemple 1 : la fabrication d'**anticorps** par les lymphocytes B ; l'anticorps reconnaît l'**antigène**, molécule reconnue comme étrangère, et s'associe à elle pour l'éliminer.
Exemple 2 : la destruction des cellules du non-soi par des **lymphocytes tueurs.**

- Une réaction immunologique est basée sur la reconnaissance du non-soi et l'intervention de cellules effectrices pour son élimination :

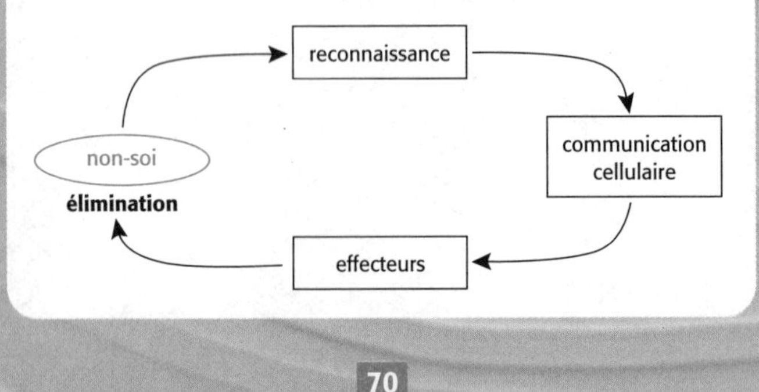

SOI ET NON-SOI

point de départ

L'immunité est un ensemble de mécanismes physiologiques assurant la défense de l'organisme contre les microbes, les cellules étrangères, les substances toxiques. Son fonctionnement suppose une reconnaissance des structures propres à l'organisme.

Mots-clés *soi, non-soi, anticorps, antigène, greffe*

1 Reconnaissance du soi et du non-soi

L'organisme, grâce à ses mécanismes de défense, est en mesure de faire la distinction entre ses propres cellules et ses propres molécules, constituant le **soi,** et des molécules ou cellules étrangères, constituant le **non-soi.**
Ainsi, les groupes sanguins, et surtout le complexe majeur d'histocompatibilité (CMH) constituent, pour chaque individu, des marqueurs de son identité.

A. Les groupes sanguins

Ces groupes caractérisent la membrane des hématies ou globules rouges. Les transfusions de sang ne sont possibles que si on tient compte des groupes sanguins du système ABO (groupes O, A, B et AB).

● **Expérience :** si on mélange *in vitro* deux sangs de groupes différents (par exemple A et B), on observe une **agglutination** des hématies (*in vivo*, cette agglutination suivie de lyse des hématies entraînerait la mort du receveur).

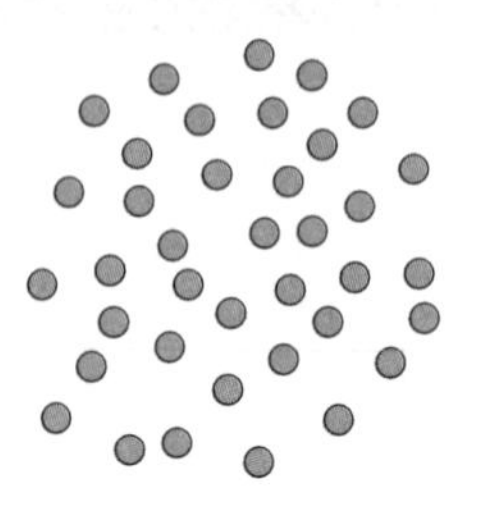

hématies libres

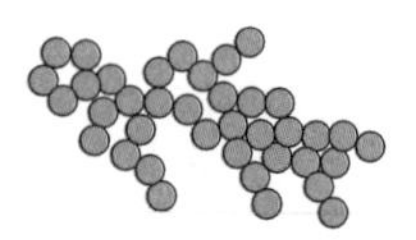

hématies agglutinées

L'agglutination se produit également si on mélange un sang complet avec le sérum d'un sang de groupe différent. Le **sérum** étant la partie liquide du sang après coagulation, il ne contient que de l'eau et des molécules solubles. Le sérum contient donc des molécules solubles pouvant agglutiner des hématies d'un groupe différent : ce sont des **anticorps.**

● On peut ainsi obtenir des anticorps anti-A, anti-B ou anti-AB. Ces anticorps réagissent avec des molécules A ou B qui existent ou non à la surface des hématies : ces molécules sont des marqueurs moléculaires, c'est-à-dire des molécules caractéristiques, susceptibles d'entraîner une réaction immunitaire si elles ne sont pas reconnues par le système immunitaire comme appartenant au soi ; ce sont des **antigènes.**
Les groupes sanguins s'expliquent par la présence ou l'absence de ces antigènes sur les hématies : leur présence sur une cellule provoquera une réaction immunitaire chez quelqu'un ne possédant pas normalement cet antigène, il fait alors partie du non-soi.
Les anticorps anti-A, anti-B et anti-AB permettent de déterminer facilement un groupe sanguin inconnu.
Les anticorps anti-A et anti-B permettent de détecter respectivement les antigènes A et B. L'anticorps anti-AB détecte les deux et permet un contrôle, mais il n'est pas indispensable.
Les hématies de groupe O ne sont agglutinées ni par anti-A, ni par anti-B.

anticorps			
anti A	anti B	anti AB	sang
agglutination	pas d'agglutination	agglutination	A
pas d'agglutination	agglutination	agglutination	B
agglutination	agglutination	agglutination	AB
pas d'agglutination	pas d'agglutination	pas d'agglutination	O

● Les groupes sanguins sont héréditaires.
Ils résultent de l'expression du génome. Les antigènes correspondant à ces groupes dépendent de l'activité d'un seul gène présentant trois allèles : A, B et O. Les allèles A et B sont codominants entre eux et dominants par rapport à O. Pour chaque groupe, on peut donner les génotypes correspondants.

Groupes	Génotypes
O	$\frac{O}{O}$
A	$\frac{A}{O}$ ou $\frac{A}{A}$
B	$\frac{B}{O}$ ou $\frac{B}{B}$
AB	$\frac{A}{B}$

Les antigènes des groupes sanguins constituent des marqueurs du soi caractéristiques des hématies. Ils résultent de l'expression de gènes.

B. Le complexe majeur d'histocompatibilité ou CMH

Le CMH (encore appelé Système HLA chez l'Homme) a été mis en évidence par les expériences d'agglutination de leucocytes (ou globules blancs) et de greffes d'organes. Il est constitué par des antigènes membranaires au nombre de quatre.

- A, B et C sont les antigènes de classe I, on les trouve sur toutes les cellules sauf les hématies.
- D est un antigène de classe II, on le trouve essentiellement sur des leucocytes.

Ces antigènes correspondent à quatre locus A, B, C et D présentant chacun de nombreux allèles (une centaine en tout). Chaque individu possède donc quatre allèles d'origine maternelle et quatre allèles d'origine paternelle. Le nombre de combinaisons possibles se chiffre par milliards.

Le complexe majeur d'histocompatibilité (CMH) est constitué de marqueurs du soi, formés de protéines membranaires. Ils dépendent directement du génome.

C. Le non-soi : les antigènes

Le non-soi est l'ensemble de toutes les molécules différentes du soi et susceptibles d'entraîner des réactions immunitaires : l'élément du non-soi reconnu est un **antigène.** La molécule antigénique porte le plus souvent plusieurs **déterminants antigéniques,** c'est-à-dire une fraction de grande molécule, susceptible de provoquer, à elle seule, une réaction.

Les antigènes proviennent du milieu extérieur ou bien de molécules du soi qui ont été modifiées.

Les marqueurs moléculaires, reconnus comme non-soi, ou antigènes, déclenchent une réaction immunitaire de l'organisme.

2 ÉVOLUTION DES GREFFES

● Les expériences de greffes permettent de tester, chez l'Homme ou chez l'animal, les réactions de l'organisme à des cellules appartenant au soi ou au non-soi, selon leur origine.
On peut étudier le résultat des greffes constituées par l'implantation de petits morceaux de peau constituant le **greffon.**

● On distingue trois sortes de greffes :
– les **autogreffes,** d'un individu sur lui-même ;
– les **isogreffes,** entre deux vrais jumeaux ou des animaux appartenant à des lignées pures, obtenues par croisements consanguins, et possédant tous le même message génétique ;
– les **allogreffes** entre deux individus de la même espèce.
Les autogreffes et les isogreffes sont très bien acceptées, elles se vascularisent en deux jours et au bout d'environ une semaine, elles se confondent avec la peau environnante.
Les allogreffes se vascularisent normalement, mais au bout d'une dizaine de jours, on voit apparaître une réaction inflammatoire autour de la greffe (rougeur et gonflement), puis le greffon se nécrose et tombe. C'est le phénomène de **rejet.**

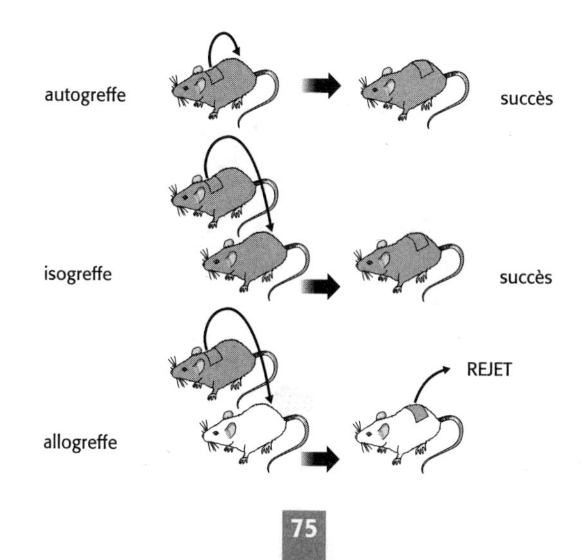

● Si les marqueurs du CMH du receveur et du donneur sont identiques, la greffe prend : c'est le cas des autogreffes et isogreffes. Si les marqueurs sont tous différents, c'est le cas général de l'allogreffe, les marqueurs sont alors antigènes, et la greffe est rejetée. Si les différences entre receveur et donneur sont faibles, le rejet est moins systématique et la greffe peut prendre dans un certain nombre de cas.

● Une expérience réalisée chez la Souris permet de montrer l'origine de la séparation entre le soi et le non-soi.
On utilise deux souches de Souris A et B : dans chaque souche obtenue par croisements consanguins, les génotypes sont identiques, comme chez des vrais jumeaux.
Des greffes faites de A vers B ou de B vers A sont systématiquement rejetées.
On injecte des cellules de souris A à une petite souris B, soit à la naissance, soit avant la naissance, *in utero*. Plus tard, cette souris B est capable d'accepter n'importe quel greffon venant d'une souris A. Les antigènes de A font donc partie de son soi.

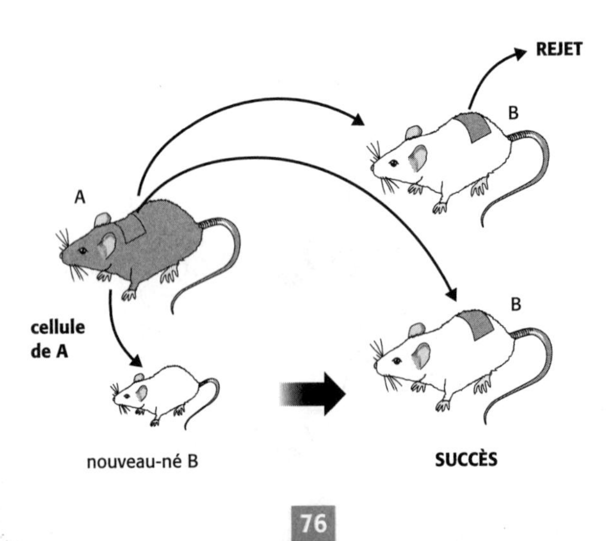

Chez le nouveau-né ou l'embryon, il y a repérage et mise en mémoire des marqueurs présents dans l'organisme : ils constitueront le soi. Toutes les autres molécules possibles sont des antigènes et constitueront donc le non-soi.

Les marqueurs du soi sont tous identifiés et mémorisés par le système immunitaire d'un individu et n'entraînent aucune réaction immunitaire. Au contraire, tous les antigènes appartiennent au non-soi et ils entraînent une réaction immunitaire.

LES CELLULES IMMUNOCOMPÉTENTES

point de départ

Les réponses immunitaires sont assurées par les globules blancs ou leucocytes, cellules toutes issues de la moelle osseuse. Leur possibilité de distinguer le soi du non-soi, et de réagir à ce dernier, constitue leur **immunocompétence.**

Mots-clés *leucocytes, lymphocytes B et T, récepteurs, immunocompétence*

1 Nature et origine des cellules immunocompétentes

L'observation de **sang** coloré montre des **leucocytes** (5 000 à 10 000 par mm^3) disséminés parmi les très nombreuses hématies (encore appelées globules rouges $5 \cdot 10^6$ par mm^3).
On distingue plusieurs sortes de leucocytes.
– Les **monocytes,** grosses cellules pouvant se différencier en **macrophages.**
– Les **granulocytes,** un peu plus petits, possèdent un noyau plurilobé, d'où leur nom ancien de polynucléaires.
– Les **lymphocytes,** assez petits et présentant un noyau particulièrement gros par rapport au cytoplasme. On distingue : les **lymphocytes B** (*bone* = os) et les **lymphocytes T** (comme thymus).

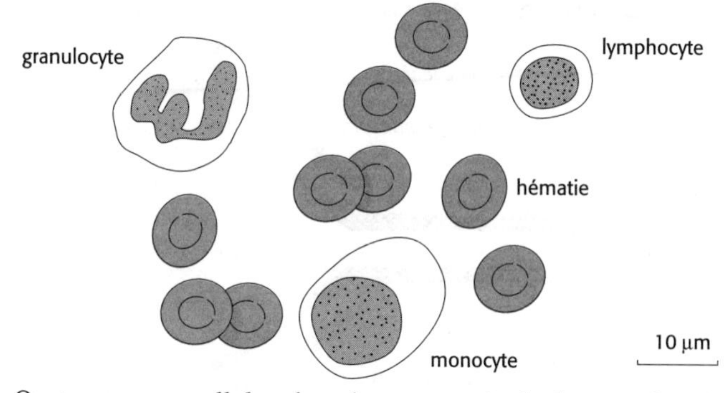

On trouve ces cellules dans le sang, mais également dans la **lymphe** (liquide transparent, issu du sang et baignant les cellules), et dans les **organes lymphoïdes** (organes spongieux contenant de la lymphe, très riches en lymphocytes et monocytes ; les organes lymphoïdes principaux sont la rate ou les ganglions lymphatiques). Les cellules immunitaires sont toutes issues de la **moelle osseuse,** où se trouvent les cellules mères des leucocytes. Après division et différenciation, ces cellules passent dans la circulation. Les lymphocytes T restent ensuite un moment dans le **thymus**, où ils acquièrent des caractéristiques particulières.

Les cellules immunitaires sont toutes originaires de la moelle des os. Les lymphocytes T passent ensuite dans le thymus où s'effectue leur maturation.

2 Récepteurs lymphocytaires

Les lymphocytes portent, à la surface de leur membrane, des **récepteurs** qui sont des protéines. Les lymphocytes T portent des récepteurs qui leur sont spécifiques ou **récepteurs T.** Les récepteurs des lymphocytes B sont des anticorps membranaires (légèrement différents des anticorps solubles) qui sont des **immunoglobulines** ou Ig.

A. Les anticorps membranaires

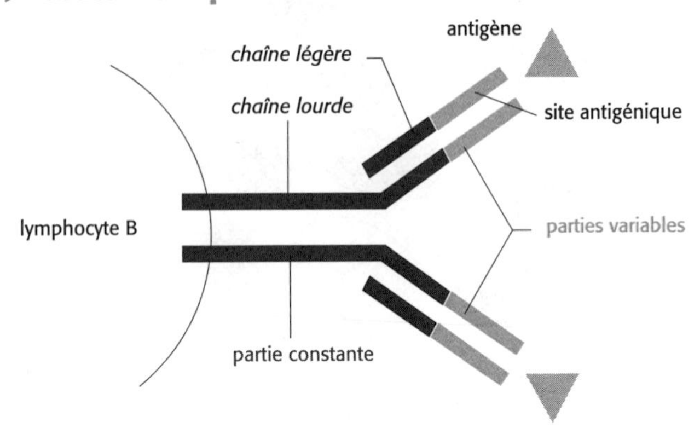

Ces anticorps sont constitués d'une partie constante et de deux parties variables identiques pour une même molécule.
La partie variable comprend deux sites de reconnaissance d'un antigène donné et permettant aussi la fixation sur cet antigène.
Le nombre de sites de reconnaissance, donc d'anticorps différents est évalué à 10^8. Ce nombre énorme résulte de l'expression de deux gènes mosaïques, formés de trois segments codants pour les chaînes lourdes et de deux segments codants pour les chaînes légères. Chaque fragment de gène est représenté par de nombreuses formes différentes, la combinaison au hasard de ces segments de gène autorise la production d'au moins 10^8 parties variables différentes (sans compter les phénomènes de recombinaison).
Un lymphocyte B produit un seul anticorps préadapté à un antigène particulier. Chaque lymphocyte est donc prédifférencié pour un anticorps donné. Chaque variété est produite en petite nombre ($\simeq 10^4$), leur nombre global est évalué à 10^{12}.

B. Les récepteurs T

Les récepteurs T comportent deux parties :
– une partie constante détecte les molécules du CMH (présentes sur les macrophages et les lymphocytes B) ;
– une partie variable détecte l'antigène auquel il est préadapté.

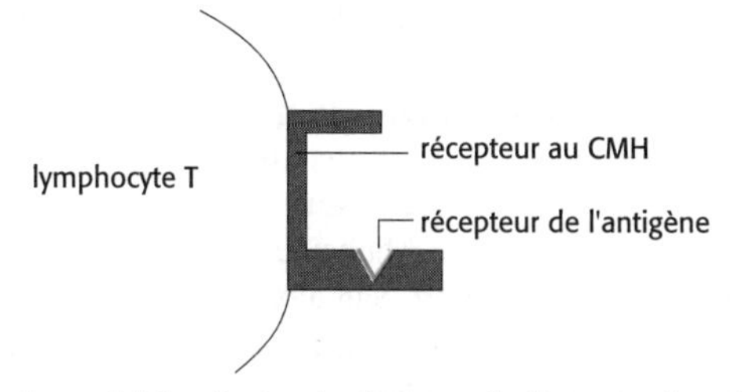

Cette partie variable résulte également de l'expression d'un gène mosaïque, comparable à celui des anticorps : elle est constituée de polypeptides résultant de l'expression d'une mosaïque de fragments de gènes.

Tous les lymphocytes possibles préexistent donc à toute infection, bien avant la naissance. La détermination du soi s'explique alors bien : les lymphocytes produisant des anticorps ou des récepteurs T correspondant aux marqueurs du soi sont détruits ou inactivés dès le stade fœtal. Il n'y aura donc plus de réaction immunitaire possible contre ces marqueurs du soi.

Les autres lymphocytes capables de réagir au non-soi, c'est-à-dire à tous les antigènes possibles, sont **immunocompétents.** Ce sont eux qui constituent le répertoire immunologique de l'individu.

Les cellules immunocompétentes possèdent des récepteurs préadaptés à tous les antigènes possibles du non-soi. Beaucoup possèdent aussi des récepteurs sensibles au CMH.

3 CANCERS ET MALADIES AUTO-IMMUNES

La détermination du soi est un phénomène particulièrement indispensable, car le système immunitaire est parfaitement capable de détruire la totalité de l'organisme. Deux exceptions peuvent se produire, dues à des dérèglements.

- Les antigènes de surface d'une cellule tumorale ou d'une cellule infestée par un virus, sont modifiés. La cellule ainsi transformée fait alors partie du non-soi et est détruite par le système immunitaire. Il s'agit ici d'un processus de défense efficace qui élimine les cellules non conformes. Ce mécanisme permet d'éliminer les cellules cancéreuses ou virosées. Malheureusement, il ne fonctionne pas dans tous les cas : un cancer peut alors se développer.

- Dans certaines situations, heureusement assez rares, il peut y avoir ressemblance entre des antigènes du non-soi apportés par un microbe et des marqueurs du soi. Dans ce cas, ces derniers seront la cible du système immunitaire qui va ainsi détruire des cellules normales et fonctionnelles. Cette confusion provoque une **maladie auto-immune,** qui peut être grave.

8 DÉROULEMENT DE LA RÉPONSE IMMUNITAIRE

point de départ

Les réponses immunitaires sont adaptées à la nature de l'agent infectieux ou de l'élément à éliminer. Certaines ne sont pas spécifiques, c'est-à-dire qu'elles sont toujours identiques, quel que soit l'antigène à éliminer, d'autres sont spécifiques, c'est-à-dire différentes et adaptées à chaque antigène.

Mots-clés *phagocytose, présentation de l'antigène, anticorps, interleukines*

1 ASPECTS NON SPÉCIFIQUES DE LA RÉPONSE IMMUNITAIRE

A. Phagocytose

La **phagocytose** est effectuée par les granulocytes ou par les macrophages (formes actives des monocytes). Elle peut avoir lieu n'importe où dans l'organisme, car les leucocytes peuvent traverser la paroi des capillaires sanguins : c'est la **diapédèse.** Les leucocytes peuvent même passer dans le milieu extérieur, à l'intérieur des alvéoles pulmonaires par exemple.

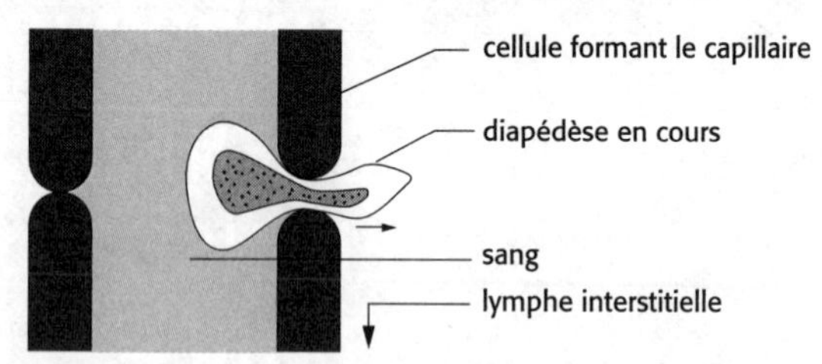

Mis en contact avec un microbe, ou tout élément du non-soi, le macrophage entoure ce dernier d'un repli cellulaire, et l'inclut dans une vacuole délimitée par la membrane plasmique. Puis le microbe est digéré par des enzymes. C'est la phagocytose.

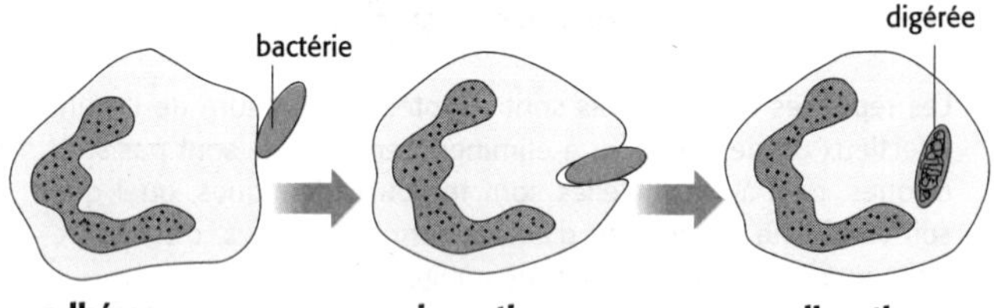

Cette réaction non spécifique est souvent suffisante pour lutter contre les petites infections ; en cas de blessure légère par exemple, elle assure un nettoyage de la plaie.

La phagocytose est la principale réponse immunitaire non spécifique.

▶ B. Présentation des antigènes

La phagocytose par les macrophages est également le point de départ de la réponse immunitaire spécifique. Les macrophages réalisent la **présentation des antigènes.** En effet, après la phagocytose, le microbe étant partiellement digéré, ses molécules se trouvent réduites en fragments encore assez gros pour conserver leurs propriétés antigéniques. Ces antigènes sont alors associés aux molécules du CMH portées par la membrane du macrophage. Les antigènes sont ainsi présentés au niveau de la membrane du macrophage.

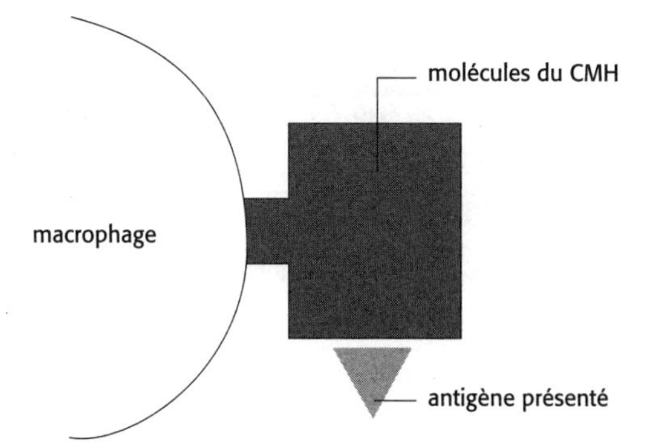

Cette présentation est une étape indispensable pour obtenir une réaction spécifique des lymphocytes T.

Après phagocytose, les macrophages présentent les antigènes aux autres cellules du système immunitaire.

2 ASPECTS SPÉCIFIQUES DE LA RÉPONSE IMMUNITAIRE

A. Stimulation et formation des clones de lymphocytes

Le macrophage présentant l'antigène et son CMH entre en contact avec des **lymphocytes T4** porteurs des récepteurs T. Ces derniers reconnaissent le CMH et l'antigène, à condition que le site complémentaire de l'antigène lui soit préadapté.

Les macrophages « essaient » ainsi tous les lymphocytes T auxiliaires disponibles. Seuls ceux qui correspondent parfaitement aux antigènes apportés par le microbe phagocyté, sont sélectionnés et activés.

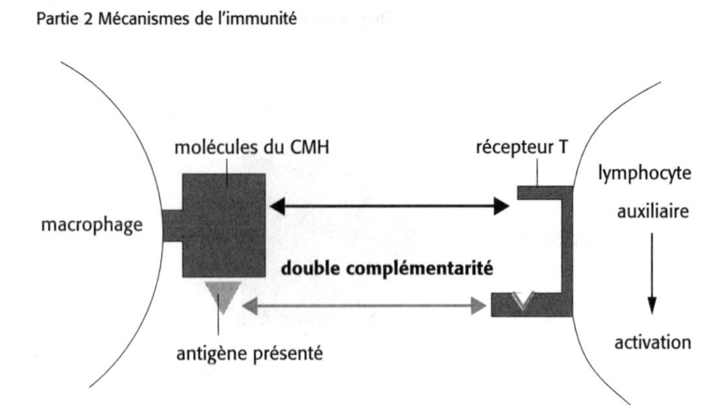

Les effets de cette activation sont doubles.
– Les lymphocytes activés sécrètent des interleukines, substances qui vont stimuler les autres lymphocytes T ou B.
– Les lymphocytes T4 activés se divisent par mitoses, formant un **clone** où toutes les cellules sont génétiquement identiques, donc possèdent toutes le même récepteur T.
Le virus HIV, responsable du SIDA, infeste les lymphocytes T4, affectant la qualité de la réponse immunitaire et provoquant ainsi l'apparition du **syndrome d'immunodéficience acquise.**

Les lymphocytes T4 activés par les antigènes présentés par les macrophages, constituent alors des clones immunocompétentes.

B. Réponse à médiation humorale

Les lymphocytes T4 sélectionnés et activés vont, à leur tour, sélectionner des lymphocytes B.
Or, les lymphocytes B possèdent à leur surface des anticorps pré-adaptés à tous les antigènes possibles. Ils seront donc activés si leur anticorps membranaire s'adapte à l'antigène détecté. Les lymphokines produites précédemment stimulent cette phase de la réaction.

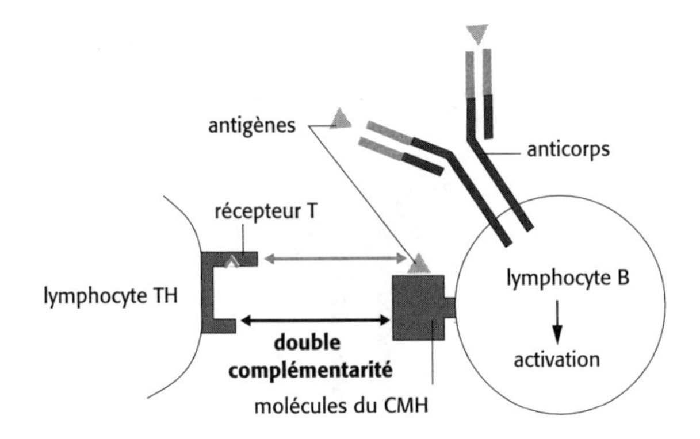

Ces lymphocytes B vont se multiplier à leur tour en formant un clone et en se différenciant en **plasmocytes** (formes cellulaires ayant un cytoplasme plus important et riche en réticulum endoplasmique granuleux).

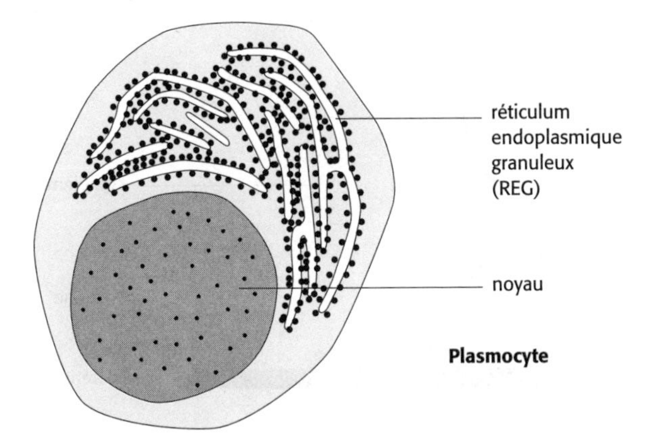

Plasmocyte

Les plasmocytes synthétisent alors l'**anticorps** adapté à l'antigène détecté (*cf.* figure ci-après).

Les anticorps synthétisés sont libérés dans le milieu intérieur et vont se fixer sur l'antigène. Ils pourront alors avoir plusieurs modes d'action.

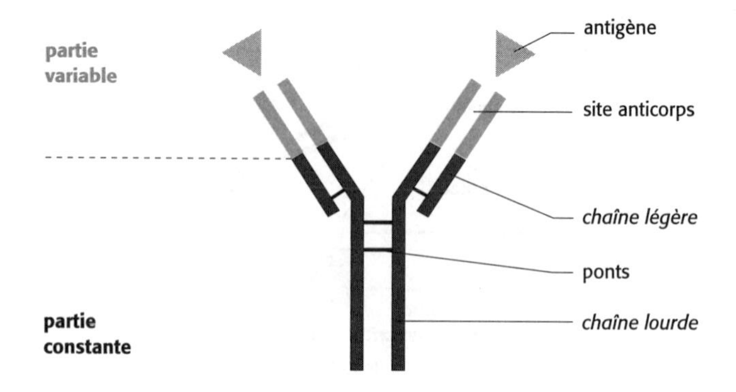

● Ils peuvent provoquer la **lyse de la bactérie**, en fixant les protéines du **complément.** Ces protéines préexistent dans le plasma sanguin sous une forme inactive. Elles se lient avec l'anticorps, lui-même fixé sur la bactérie, et entraînent alors la lyse de la paroi bactérienne.

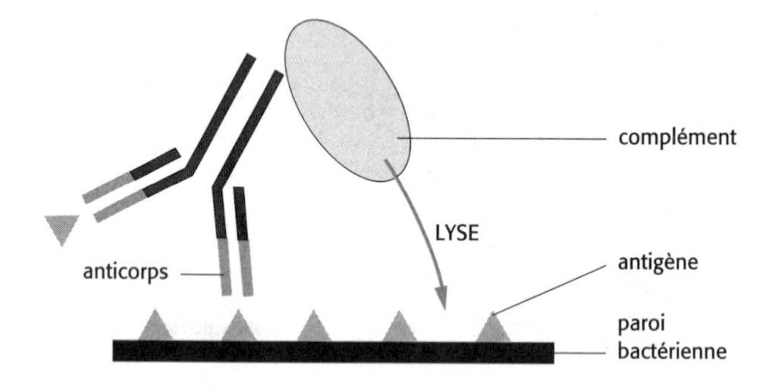

● Ils peuvent faciliter la phagocytose par les macrophages.

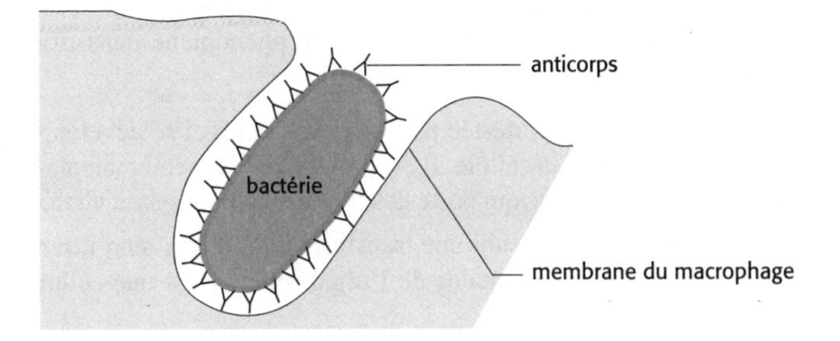

● Ils peuvent neutraliser l'antigène, si celui-ci est soluble : il se forme un **complexe immun** inoffensif qui sera éliminé.

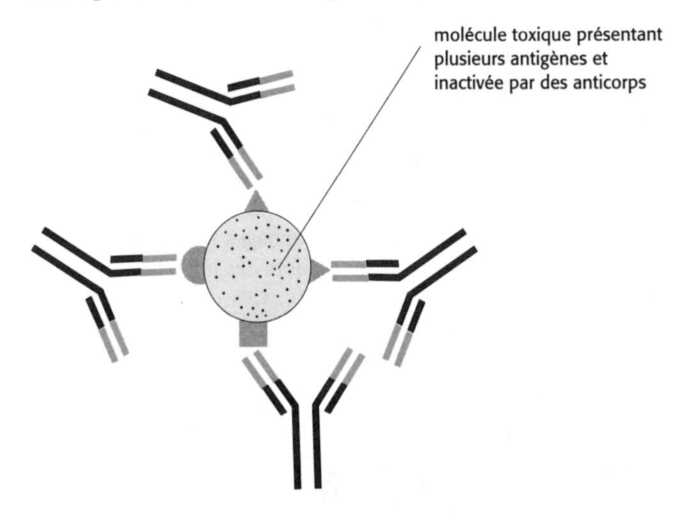

Les lymphocytes B différenciés en plasmocytes produisent les anticorps qui constituent l'élément essentiel de la réponse immunitaire à médiation humorale.

C. Réponse à médiation cellulaire

Une cellule de l'organisme peut porter des marqueurs du non-soi, c'est-à-dire des antigènes. On observe ce phénomène dans trois cas particuliers.

- La cellule peut être infestée par un virus : celui-ci se développe alors à l'intérieur de la cellule. Il est protégé par la membrane plasmique de sa cellule hôte qui porte des fragments d'antigènes viraux.
- La cellule peut avoir subi une transformation qui la rend insensible aux régulations normales de l'organisme : c'est une cellule tumorale.
La cellule tumorale porte des marqueurs antigéniques particuliers.
- La cellule peut provenir d'une greffe et être étrangère à l'organisme, elle possède alors de nombreux antigènes.

Dans les trois cas, ces cellules portent, sur leur surface, des antigènes qui permettent aux cellules immunitaires de les reconnaître comme n'appartenant pas au soi.

Activation des lymphocytes T cytotoxiques (ou LTc)

Les antigènes anormaux sont détectés par des macrophages qui les présentent associés à leur CMH. Cela stimule les lymphocytes Tc possédant le double récepteur au CMH et à l'antigène présenté. Ce dernier récepteur a une grande variété de structure et doit donc être sélectionné. Les macrophages stimulent également des lymphocytes T4 qui produisent alors des interleukines, stimulant elles-mêmes les lymphocytes Tc. Ces derniers forment un clone par mitoses successives.

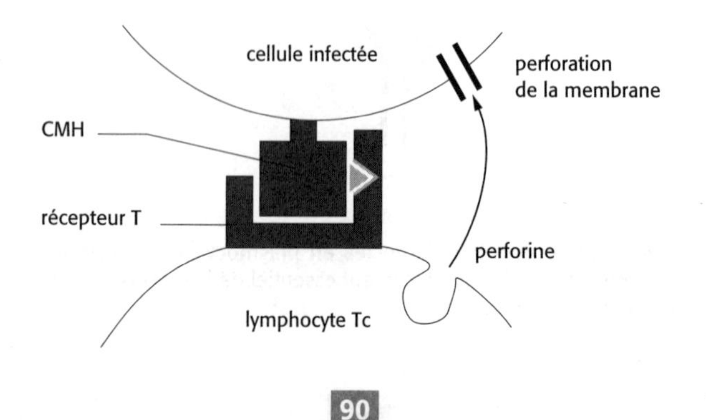

Mode d'action des cellules cytotoxiques

Le lymphocyte Tc est capable de lyser des cellules. Pour cela, il adhère à la surface de la cellule cible et produit des **perforines,** protéines qui se placent dans la membrane de la cellule cible et permettent une communication directe avec les liquides extracellulaires : la cellule cible se gonfle d'eau et éclate.

Ce procédé de destruction cellulaire est remarquablement efficace. C'est lui qui est responsable du rejet des greffes.

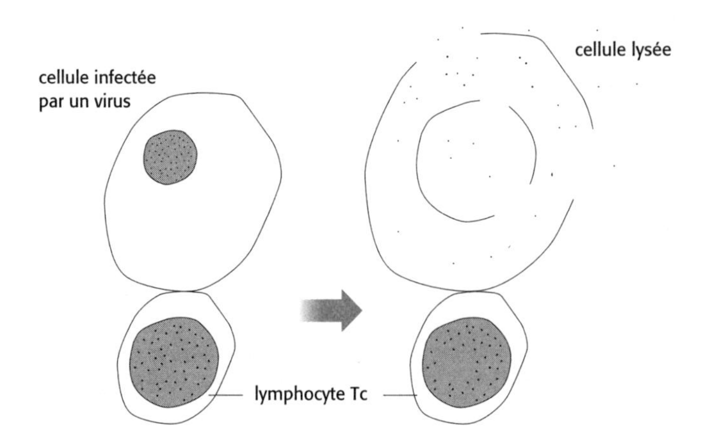

Les lymphocytes T cytotoxiques (ou Tc) détruisent les cellules ne présentant pas les caractéristiques du soi.

D. Mémoire immunitaire

La réaction à un antigène inconnu au système immunitaire est relativement lente et met au moins une semaine à apparaître. Un deuxième contact avec le même antigène, même des années plus tard, entraîne une réaction beaucoup plus rapide (deux jours) et beaucoup plus forte (10 à 100 fois plus importante).

Cette différence entre les réactions met en évidence une **mémoire immunitaire** qui facilite grandement la réponse à une infection. Cette mémoire s'explique par la conservation, dans l'appareil circulatoire, d'une partie importante des cellules immunitaires.

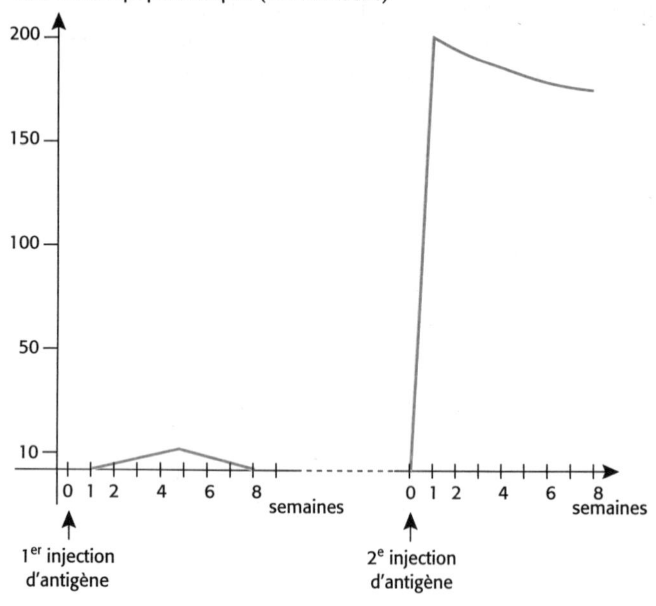

Les lymphocytes B et T ayant participé à la défense contre la première infection, donc déjà clonés sont en effet conservés. Ceci permet d'expliquer le phénomène d'**immunisation,** grâce auquel nombre de maladies ne peuvent se déclarer qu'une seule fois chez le même individu : en fait, le microbe pénètre dans l'organisme, mais la maladie est réprimée beaucoup plus vite, et les symptômes n'ont pas le temps d'apparaître. La seule condition étant que les antigènes soient bien les mêmes dans les deux cas. En effet, certains microbes, comme le Virus de la grippe, ont un génome très variable et leurs propriétés antigéniques changent rapidement. La mémoire immunitaire est alors mise en défaut.

On peut exploiter la mémoire immunitaire d'un individu en la stimulant par la **vaccination :** elle consiste à injecter préventivement à un individu en bonne santé des antigènes provenant d'un microbe pathogène, Bactérie ou Virus. Ces antigènes doivent évidemment être totalement inoffensifs.
En cas de contact ultérieur avec le microbe pathogène, la réaction du système immunitaire sera beaucoup plus rapide et plus forte, au point que, le plus souvent, le sujet ne s'apercevra même pas qu'il a été infecté.
Les vaccinations les plus courantes en France sont :
– le BCG contre la tuberculose ;
– le vaccin DT Polio contre la diphtérie, le tétanos et la poliomyélite.
Le vaccin contre l'hépatite B est actuellement de plus en plus utilisé.

La mémoire immunitaire permet l'immunisation des individus contre un grand nombre de maladies. Cette immunisation peut être spontanée ou facilitée par un vaccin.

Prêts pour le bac ?

3 La réponse immunitaire
(Exploitation de documents)

On s'intéresse aux mécanismes de la réponse immunitaire à médiation humorale conduisant à la destruction d'un antigène cellulaire.
On réalise les expérimentations suivantes (schématisées dans le document).
– Des cellules de la rate (organe lymphoïde) d'une souris normale, d'une part, et d'une souris sans thymus, d'autre part, sont prélevées et incubées, ce qui permet de séparer les macrophages (qui adhèrent aux parois) des lymphocytes.
– On récupère séparément les macrophages et les lymphocytes de la souris normale ainsi que les lymphocytes de la souris sans thymus.
– On réalise les préparations (notées de 1 à 4 sur le document) ainsi qu'un témoin, en ajoutant des globules rouges de mouton (GRM).
L'importance de la réponse immunitaire est évaluée quatre jours plus tard par la technique des plages d'hémolyse, qui consiste à mettre en présence un échantillon de chaque tube avec des GRM et du sérum frais d'un Mammifère quelconque. On appelle plage d'hémolyse une zone dans laquelle les hématies ont été détruites. L'hémolyse n'est jamais obtenue si on omet le sérum frais d'un Mammifère quelconque.

Question : *Expliquez les résultats obtenus dans les diverses situations expérimentales du document, en utilisant vos connaissances sur les mécanismes de la réponse immunitaire.*

Document

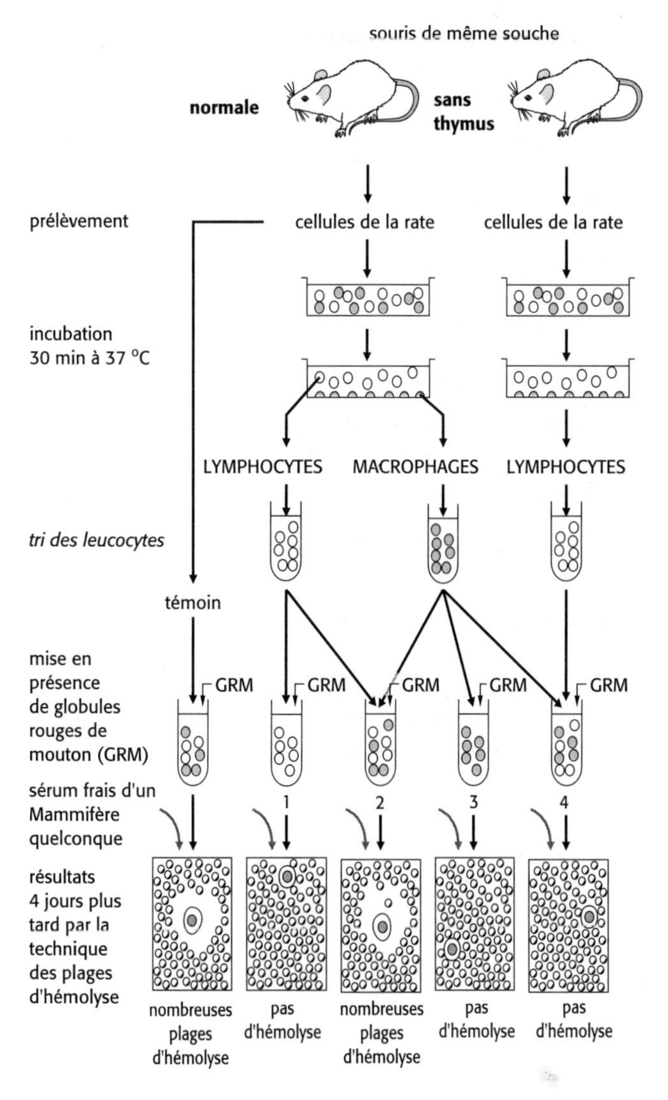
souris de même souche
normale
sans thymus
prélèvement
cellules de la rate
cellules de la rate
incubation
30 min à 37 °C
LYMPHOCYTES
MACROPHAGES
LYMPHOCYTES
tri des leucocytes
témoin
mise en présence de globules rouges de mouton (GRM)
GRM
GRM
GRM
GRM
GRM
1
2
3
4
sérum frais d'un Mammifère quelconque
résultats 4 jours plus tard par la technique des plages d'hémolyse
nombreuses plages d'hémolyse
pas d'hémolyse
nombreuses plages d'hémolyse
pas d'hémolyse
pas d'hémolyse

POUR VOUS GUIDER

1. Mécanisme de la réponse humorale

Au centre d'une plage de lyse se trouve un leucocyte. Son action à distance sur les GRM (antigènes) s'explique par la diffusion d'une substance active : un anticorps. De plus, le plasma apporte le complément nécessaire à la lyse.

2. Rôle des cellules immunitaires

Le témoin contient tous les types cellulaires : macrophages, lymphocytes B et T.

Expérience 1	Présence de lymphocytes B et T, pas de macrophages	Pas de réponse
Expérience 3	Présence de macrophages, pas de lymphocytes	Pas de réponse
Expérience 4	Présence de macrophages et de lymphocytes B, pas de lymphocytes T (car pas de thymus)	Pas de réponse
Expérience 2	Présence des trois types cellulaires	Réponse humorale

Les trois types cellulaires, macrophages, lymphocytes B et lymphocytes T coopèrent pour la réponse immunitaire par anticorps. De plus, le complément est indispensable pour lyser des cellules.

Partie 3

Le fonctionnement du système nerveux

Avant de commencer

QUELQUES RAPPELS SUR LA COMMUNICATION NERVEUSE

- Il existe des messages nerveux **afférents,** émis par des **récepteurs sensoriels** périphériques et transmis aux **centres nerveux.**

- Des messages nerveux **efférents** sont émis des centres nerveux vers les **effecteurs** de la périphérie, par exemple vers les muscles.

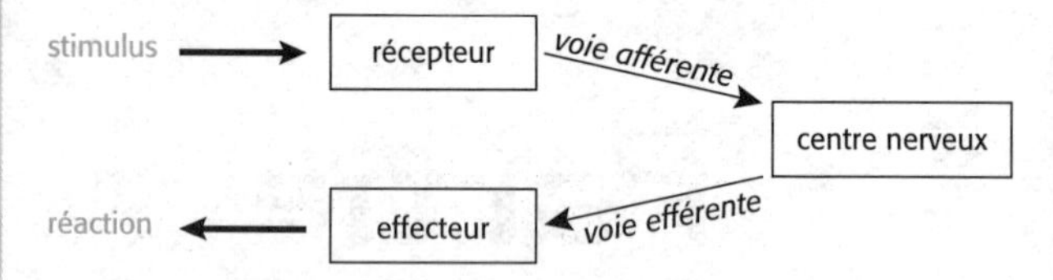

- Le support cellulaire du message nerveux est le **neurone**.

- Le message nerveux est formé de trains de **potentiels d'action.**

- Le message nerveux est codé en **fréquence.**

- La circulation du message nerveux le long du neurone est orientée dans un seul sens : les **dendrites** reçoivent les afférences d'autres cellules. Le **corps cellulaire** lui-même envoie son message nerveux à d'autres neurones ou à une cellule effectrice par l'intermédiaire d'un très long prolongement, l'**axone.**

- La **transmission** du message nerveux entre cellules se fait au niveau de la **synapse.**

- Des **neurotransmetteurs** sont déchargés au niveau de la synapse au moment de la transmission du message nerveux.

- Dans les centres nerveux, les neurones sont organisés en **réseaux** complexes, au sein desquels de multiples informations circulent et sont échangées très rapidement.

LES MESSAGES NERVEUX

point de départ

Le message nerveux est une mode essentiel de communication entre organes. Il met en jeu le système nerveux central (encéphale et moelle épinière) et le système nerveux périphérique (nerfs afférents et efférents, récepteurs).

Mots-clés *réflexe, neurone, message nerveux, potentiel de repos, potentiel d'action, seuil, potentiel de récepteur*

Les activités du système nerveux, conscientes ou inconscientes, sont le plus souvent complexes et difficiles à analyser. Le réflexe myotatique est l'exemple le plus simple d'activité nerveuse.

1 Réflexe de posture et message nerveux

Un individu normal s'oppose aux contraintes extérieures qui tendent à modifier la posture de son corps.
Ce type de réaction échappe totalement à la volonté : en effet, on peut même l'observer chez des sujets ayant subi des lésions importantes de l'encéphale et incapables de tout mouvement volontaire. Ce type de réaction, indépendante de la volonté, est un **réflexe.**

▶ A. Expérience

Un sujet est placé, assis sur une table, de façon à ce que ses pieds ne touchent pas le sol. On soulève une de ses jambes à l'horizontale par un mouvement lent, puis on plie rapidement la jambe, ce qui allonge brusquement le muscle supérieur de la cuisse. On ressent une résistance due à une contraction de ce même muscle : le muscle qui subit l'élongation s'oppose à ce mouvement : c'est un **réflexe myotatique.** La réaction est d'autant plus forte que la flexion imposée est rapide. Le réflexe myotatique se manifeste donc par la contraction d'un muscle qui s'oppose à une élongation involontaire.

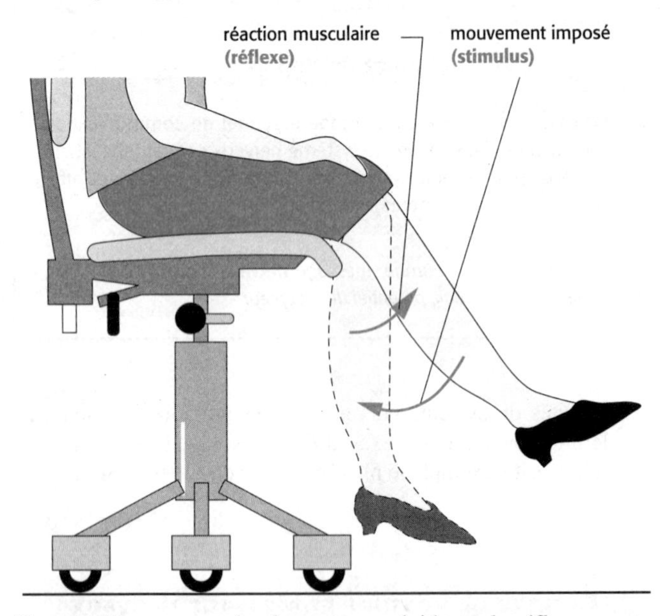

Une manière, commode, de mettre en évidence le réflexe myotatique consiste, le sujet étant placé jambes pendantes, à frapper à l'aide d'un petit marteau en caoutchouc sur le tendon du muscle de la cuisse juste sous la rotule : le muscle se contracte de façon réflexe. Ce n'est pas le coup lui-même qui est efficace, mais le fait d'imposer une légère flexion au tendon et donc une légère élongation du muscle. Cette élongation entraîne un réflexe myotatique.

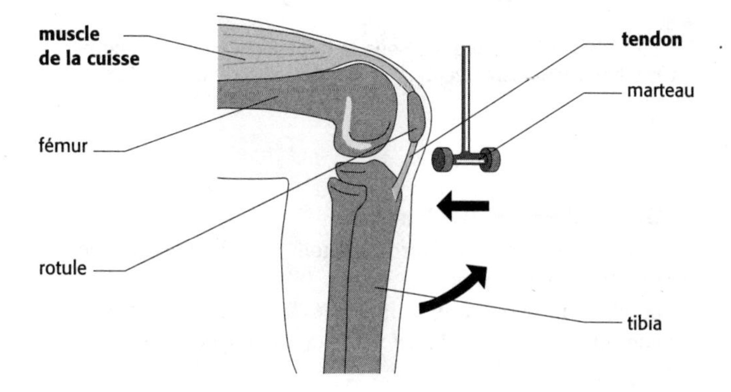

Le réflexe myotatique est un réflexe de posture, puisqu'il tend à compenser les déformations rapides et involontaires que l'environnement peut imposer au corps.

B. Le mécanisme du réflexe myotatique

- Cette réaction **involontaire** pourrait être une caractéristique intrinsèque du muscle, qui réagirait seul au stimulus d'élongation.
- Cette réaction pourrait mettre en jeu le système nerveux qui détecterait alors le stimulus, enverrait un message nerveux vers le muscle concerné, et serait donc responsable de ce mouvement.

L'observation ou l'expérimentation répondent à ces questions :
– si on sectionne les nerfs qui innervent le muscle, le réflexe disparaît, montrant le rôle de transmission indispensable du **système nerveux périphérique** (constitué par les nerfs) ;
– des lésions importantes de la moelle épinière inférieure font également disparaître le réflexe, montrant que le **système nerveux central** est, lui aussi, indispensable.

Rappel : Le système nerveux central comprend l'encéphale protégé par la boîte crânienne, et la moelle épinière contenue dans la colonne vertébrale.
Dans le cas du réflexe myotatique, c'est la moelle épinière qui est le **centre du réflexe.**

Le réflexe myotatique est sous la dépendance du système nerveux. Il nécessite l'intervention de nerfs et d'un centre nerveux.

C. La détection du stimulus

Le système nerveux est informé de tous les stimulus externes ou internes par des **récepteurs.**

Le muscle contient des récepteurs appelés **fuseaux neuromusculaires** qui sont responsables de la détection de l'allongement musculaire.

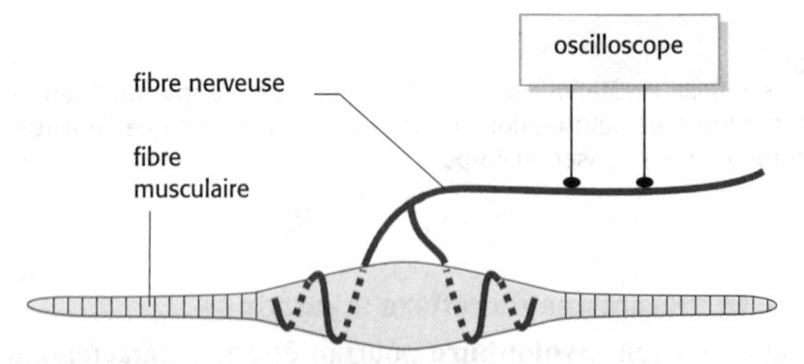

Une microélectrode placée dans le fuseau montre un potentiel de récepteur : dépolarisation proportionnelle à l'intensité du stimulus.

Une électrode, placée sur la fibre nerveuse issue du fuseau neuromusculaire, et reliée à un oscilloscope, enregistre l'activité électrique de la fibre en fonction de l'état d'étirement du muscle.

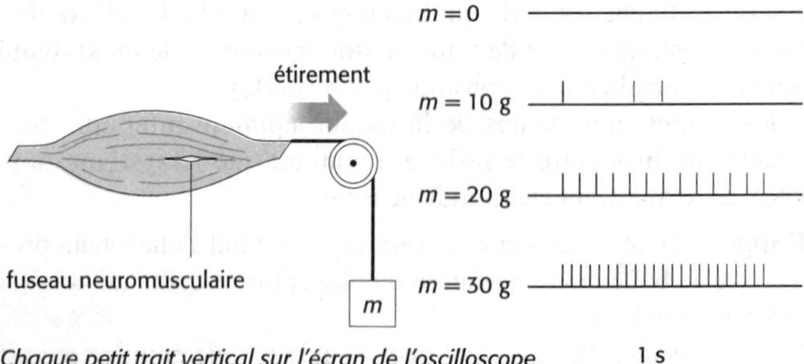

*Chaque petit trait vertical sur l'écran de l'oscilloscope est un **potentiel d'action**.*

On voit que l'**amplitude** des potentiels d'action ne change pas, mais que leur **fréquence** augmente en fonction de la charge *m*, donc en fonction de l'étirement musculaire. Ces potentiels d'action et leur fréquence constituent un **message nerveux.**

Des récepteurs traduisent donc le stimulus en un message nerveux qui informe le centre nerveux de l'état d'étirement du muscle, par une fréquence de potentiels d'action caractéristique de l'intensité de ce stimulus.

D. Fonctionnement de la moelle épinière

La moelle épinière est le lieu de passage des fibres nerveuses reliant l'encéphale et les organes périphériques. C'est aussi un centre de réflexes (réflexes médullaires), comme le réflexe myotatique.

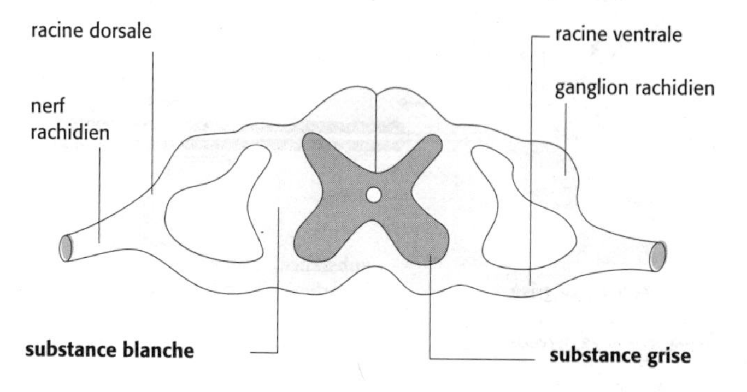

1. Racines des nerfs rachidiens

À intervalle régulier (entre chaque vertèbre), deux paires de nerfs font communiquer la moelle épinière avec la périphérie : ce sont les **racines des nerfs rachidiens.** Des observations de sections de ces racines ont montré que les racines dorsales sont **sensitives,** alors que les racines ventrales sont **motrices :** les premières transmettent des messages sensoriels de la périphérie vers les centres ; les secondes transmettent les messages moteurs des centres vers les effecteurs (muscles ou glandes).

2. Substance grise et substance blanche

Une observation au microscope révèle, sur une coupe de la moelle épinière deux tissus différents :

– la substance grise contenant les corps cellulaires des cellules nerveuses ou **neurones** ainsi que des fibres nues, axones ou dendrites. Les **dendrites** transportent le message nerveux vers le corps cellulaire, alors que **l'axone** le transmet vers les autres cellules ;

– la substance blanche contient uniquement des fibres nerveuses, couvertes de gaines de myéline, blanches. La myéline joue un rôle important dans la propagation du message nerveux ;

– les racines et tous les nerfs sont également formés de fibres couvertes de gaines.

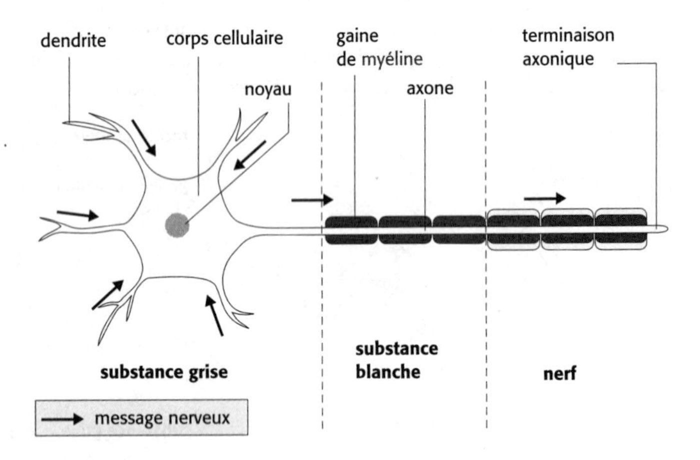

3. Expérience

Après section des racines des nerfs rachidiens, on stimule électriquement le bout central de la racine dorsale.

On détecte un potentiel d'action au niveau de la racine ventrale, qui est la réponse de la moelle épinière.

Le délai entre la stimulation et la réception indique qu'il y a une **synapse** entre les deux racines (voir chapitre suivant).

Le centre nerveux réagit au message provenant du récepteur par l'émission d'un message moteur qui provoque la contraction musculaire. Cette réponse met en jeu une jonction entre deux neurones, appelée synapse.

▶ E. Du récepteur à l'effecteur : un circuit nerveux réflexe

Cinq éléments participent à un réflexe, dans le même ordre :

EXEMPLE DU RÉFLEXE MYOTATIQUE	Cas général
Fuseau neuromusculaire	Récepteur
Fibre nerveuse sensitive	Voie afférente
Moelle épinière	Centre
Fibre nerveuse motrice	Voie efférente
Muscle	Effecteur

Ces organes ou ces cellules, constituent un chemin pour le message nerveux, des récepteurs aux effecteurs, en passant par un centre nerveux.

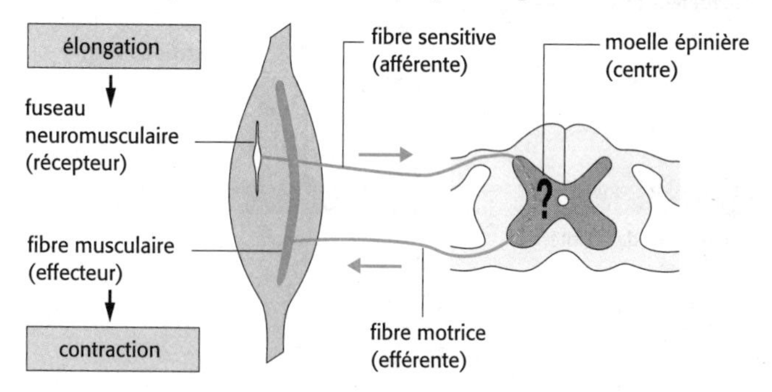

Un circuit nerveux réflexe comporte cinq éléments : il est le support d'un message nerveux entre récepteur et effecteur.

2 POTENTIEL DE REPOS, POTENTIEL D'ACTION

A. Technique de détection du message nerveux

Les messages nerveux sont constitués d'une succession de potentiels d'action. Ils sont caractérisés par la fréquence de ces derniers. La cellule nerveuse, le neurone, produit et propage ces potentiels d'action le long de ses prolongements : dendrites (vers le corps cellulaire) et axone (s'éloignant du corps cellulaire).
L'étude de l'activité de ces cellules est possible par la technique de la microélectrode. Il s'agit d'un tube de verre étiré, extrêmement fin (ø < 1 mm), et rempli d'une solution conductrice d'électricité. On peut la piquer dans n'importe quelle partie d'un neurone sans le léser, et on peut ainsi mesurer la différence de potentiel entre l'intérieur et l'extérieur de la cellule où est placée une électrode ordinaire.

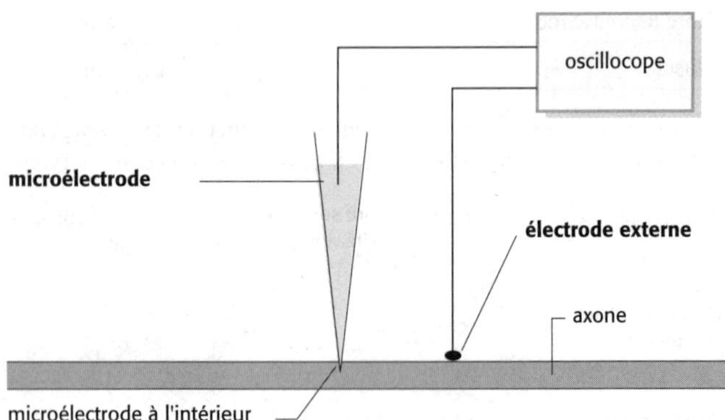

L'activité de la cellule nerveuse se traduit par des phénomènes électriques mesurables.

▶ B. Potentiel de repos

En l'absence de toute stimulation, on enregistre une différence de potentiel de – 70 mV, entre le domaine intracellulaire et le domaine extracellulaire. Le signe – s'explique par le fait que l'électrode de référence est la microélectrode qui est placée à l'intérieur, où se trouvent les charges négatives.

\+ + + + + + +
– – – – – – –   axone
– – – – – – –
\+ + + + + + +

Cette différence de potentiel se maintient tant que la cellule n'est pas stimulée, on la désigne sous le nom de **potentiel de repos.** Ce phénomène se retrouve, plus ou moins intense, dans toutes les cellules vivantes.
Il nécessite la présence d'ATP (adénosine triphosphate) et s'explique par des différences dans la répartition des ions (voir spécialité).

Le potentiel de repos est un phénomène actif qui consomme de l'énergie.

▶ C. Genèse du potentiel d'action

Si on stimule la cellule par une décharge électrique (ce qui ne la lèse pas), on voit apparaître le long de l'axone un phénomène électrique particulier. La figure indique le dispositif expérimental.

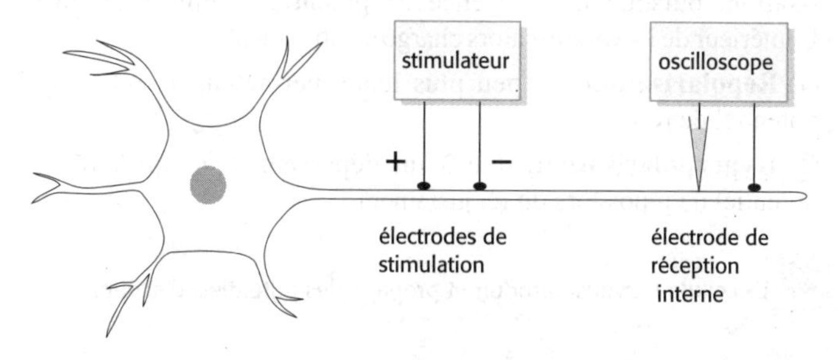

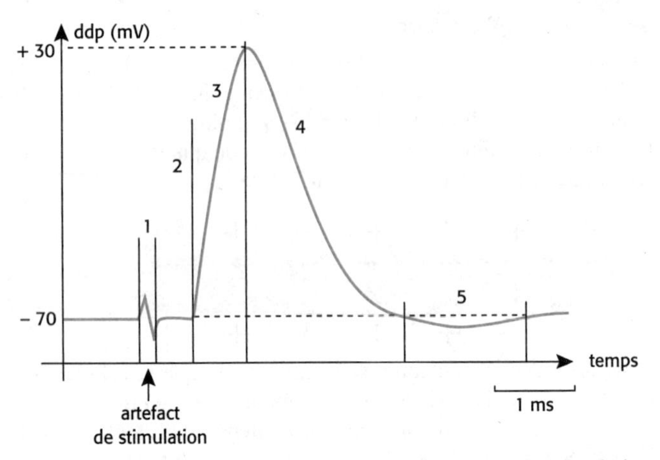

Une microélectrode placée à distance des électrodes de stimulation permet d'effectuer des enregistrements sur l'écran d'un oscilloscope. Le phénomène observé est l'enregistrement du potentiel d'action. Il comprend plusieurs phases, numérotées, sur la figure suivante, de 1 à 5.

① **Artefact de stimulation,** simple parasite électrique dû à la stimulation : il permet de connaître le moment exact de la stimulation sur l'enregistrement. Il n'existe évidemment pas pendant le fonctionnement normal du neurone.

② **Période de latence,** correspondant au temps nécessaire au potentiel d'action pour parcourir la distance comprise entre l'électrode de stimulation et l'électrode de réception.

③ **Dépolarisation,** très rapide, allant jusqu'à une inversion de polarisation, puisque la différence de potentiel atteint + 30 mV. L'intérieur de l'axone est alors chargé positivement.

④ **Repolarisation,** un peu plus lente, permettant le retour au potentiel de repos.

⑤ **Hyperpolarisation,** due à un dépassement temporaire du potentiel de repos lors du réajustement.

La cellule nerveuse produit et propage des potentiels d'action.

D. Seuil de stimulation et loi du « tout ou rien »

La stimulation est une dépolarisation de la membrane, imposée par une électrode externe à l'axone. Cette électrode de stimulation doit donc être chargée négativement alors que la surface cellulaire est chargée positivement.
Si la stimulation est très faible, on enregistre localement une petite dépolarisation, mais insuffisante pour déclencher un potentiel d'action. Ce dernier n'apparaît que si la dépolarisation atteint un **seuil de dépolarisation.**

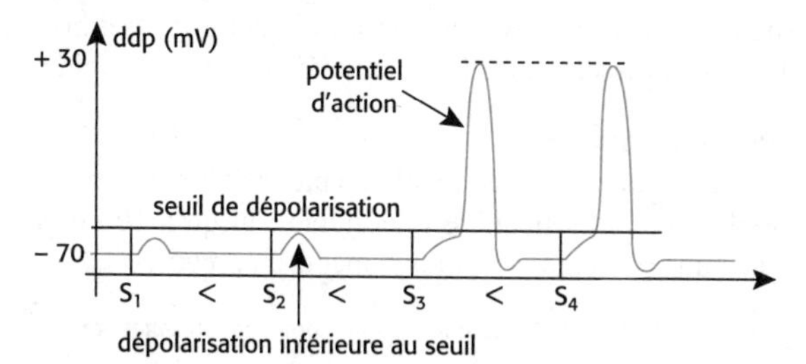

Une fois le seuil atteint, le potentiel d'action aura toujours la même amplitude, même pour des stimulations très fortes : le potentiel d'action obéit à la loi du **« tout ou rien »**. Toutes les cellules nerveuses n'ont pas le même seuil de dépolarisation, ce qui leur confère des sensibilités différentes : elles seront d'autant plus excitables que le seuil de dépolarisation est bas.
Plus le diamètre d'une cellule est important, plus elle est sensible. Si on stimule un nerf entier formé de nombreuses fibres nerveuses, une stimulation faible va provoquer des potentiels d'action dans un petit nombre de fibres, alors qu'une stimulation forte provoquera des potentiels d'action dans de nombreuses fibres, voire dans la totalité : on dit qu'il y a **recrutement** des fibres en fonction de leurs sensibilités et de l'intensité de la stimulation.

Stimulé, le neurone n'a qu'une seule réponse possible : le potentiel d'action. Pour qu'un potentiel d'action apparaisse, l'intensité de la stimulation doit simplement être supérieure à un seuil dépendant de la sensibilité du neurone lui-même.

E. Propagation du potentiel d'action

1. Fibre sans myéline

Un potentiel d'action localisé à un endroit donné de l'axone provoque devant lui une légère dépolarisation qui suffit à faire apparaître un potentiel d'action un peu plus loin. Le potentiel d'action avance donc de proche en proche le long de la fibre. C'est pourquoi sa célérité est assez faible : moins de 30 $m \cdot s^{-1}$. En revanche, il ne subit aucun affaiblissement, même si la fibre est très longue (plusieurs mètres chez des animaux de grande taille).
Là encore, la célérité est fonction du diamètre de la fibre : plus une fibre est grosse, et plus le potentiel d'action y est rapide.

2. Fibre avec myéline

La présence d'une gaine de myéline autour de l'axone accélère le potentiel d'action de manière importante : jusqu'à 100 $m \cdot s^{-1}$. En effet, la gaine présente des étranglements ou nœuds.

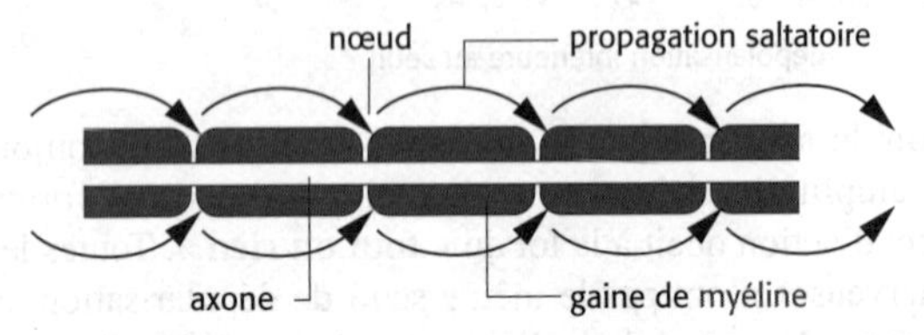

Les potentiels d'action « sautent » d'un étranglement à l'autre, ce qui rend la propagation nettement plus rapide : c'est la **propagation saltatoire** (c'est-à-dire par sauts).

Les potentiels d'action ont des célérités très variables (de 1 à 100 $m \cdot s^{-1}$). Même les plus rapides sont beaucoup plus lents que des signaux électriques.

INTERPRÉTATION IONIQUE DES POTENTIELS DE MEMBRANE

Les **potentiels de membrane** qu'on enregistre au niveau d'un axone sont la manifestation électrique d'**échanges d'ions** de part et d'autre de la membrane plasmique du neurone. Les potentiels, de repos et d'action, résultent de la **répartition dissymétrique** de ces ions, essentiellement Na^+ et K^+.

1. Potentiel de repos

a. Distribution inégale des ions

Na^+ est beaucoup plus concentré dans le milieu extracellulaire que dans le cytoplasme de l'axone, et inversement pour K^+ :

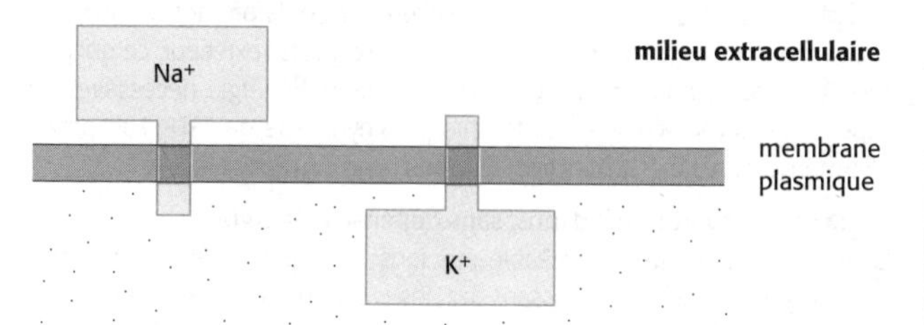

Des axones prélevés sur des animaux sont plongés dans des solutions de remplacement qui modélisent le milieu extracellulaire et dont on modifie la composition.
Si Na^+ est supprimé, ou si sa concentration est égale de part et d'autre de la membrane, l'axone devient inexcitable, aucun potentiel d'action n'est enregistré suite à une stimulation.
Le **déséquilibre ionique au repos** est donc indispensable à l'activité de la cellule. Comment est-il maintenu alors que la membrane est perméable aux ions ?

b. L'entretien du déséquilibre ionique

Simples canaux ioniques ou systèmes complexes utilisant de l'ATP, des **protéines** intégrées à la membrane de l'axone règlent les échanges d'ions.

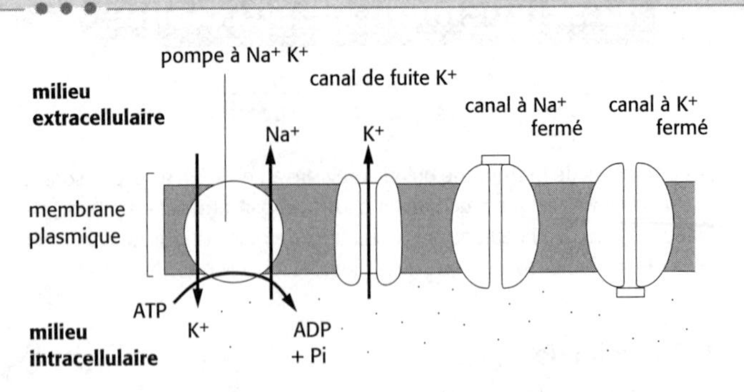

- **Le transport actif d'ions, avec dépense d'énergie :**

Les **pompes Na $^+$/K $^+$** expulsent des ions Na $^+$ de l'axone et y font entrer des ions K $^+$ prélevés à l'extérieur. Des molécules complexes possèdent des sites récepteurs spécifiques de chaque type d'ions. En se déformant, la molécule expose tour à tour les sites vers le cytoplasme ou vers l'extérieur, ce qui permet aux ions capturés de traverser la membrane. L'énergie nécessaire aux mouvements moléculaires est fournie par l'hydrolyse de l'ATP. La pompe elle-même catalyse cette réaction, d'où son nom d'**ATPase Na $^+$/K $^+$**.

- **Le transport passif d'ions, sans dépense d'énergie :**

La membrane est très perméable aux ions K $^+$ qui diffusent librement à l'extérieur de la cellule en passant par des « **canaux de fuite** » ouverts en permanence. Étant donné le gradient de concentration, ce flux ionique n'exige pas d'énergie. Cette fuite d'ions positifs augmente la différence de potentiel de part et d'autre de la membrane, jusqu'à un potentiel d'équilibre qui est le potentiel de repos d'environ – 70 mV.

Le potentiel de repos est lié à un déséquilibre ionique maintenu grâce à la perméabilité sélective de la membrane cellulaire aux ions Na $^+$ et K $^+$.

2. Genèse du potentiel d'action

a. Perméabilité membranaire

L'inversion locale de la polarisation membranaire est la manifestation enregistrable d'un **potentiel d'action**. Elle traduit une modification de la

répartition des ions, due à une modification de la perméabilité membranaire aux ions Na^+ et K^+ qui a été mise en évidence par des expériences utilisant des ions radioactifs.
Les graphes suivants mettent en relation les variations électriques et chimiques durant un potentiel d'action :

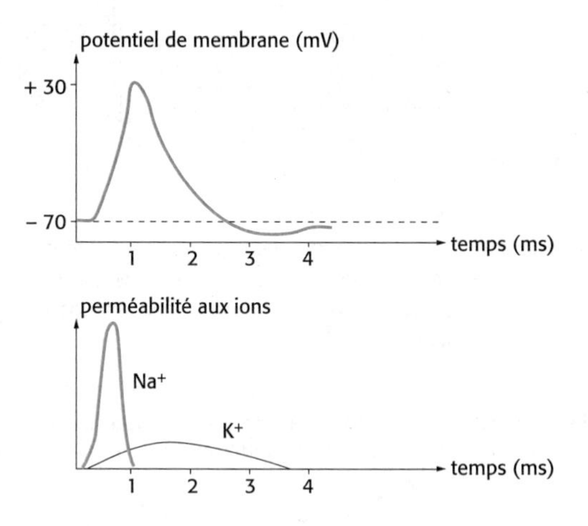

b. Dépolarisation

Une stimulation efficace de l'axone provoque l'ouverture des **canaux Na^+ voltage-dépendants,** ainsi nommés car leur ouverture est fonction du niveau de dépolarisation locale qui doit dépasser un certain seuil :

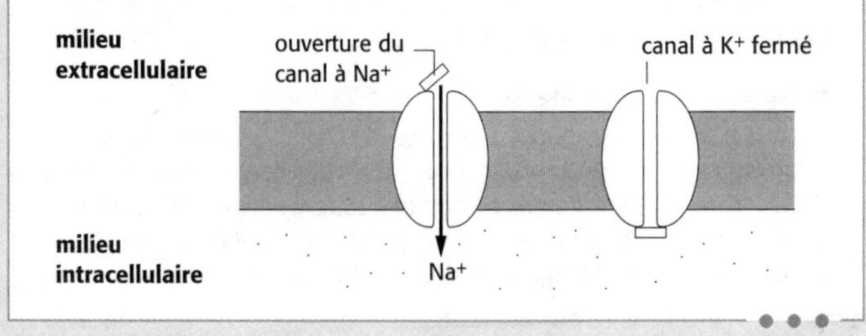

c. Repolarisation

La fermeture des canaux à Na^+ est suivie de l'ouverture des **canaux à K^+ voltage-dépendants,** d'où la sortie d'ions K^+ et la repolarisation :

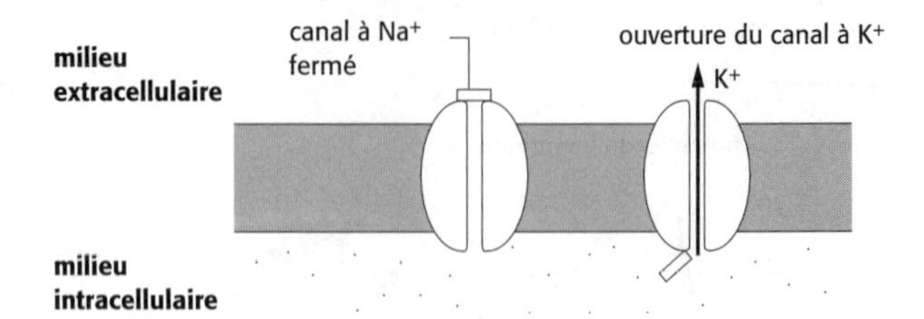

d. Retour au potentiel de repos

Les pompes à Na^+/K^+ sont actives, elles expulsent Na^+ et font entrer K^+. Après une courte période d'hyperpolarisation, la répartition initiale des ions est retrouvée. Pendant cette restauration du potentiel de repos, le segment de fibre est peu excitable.

Le potentiel d'action est lié à une modification brutale de la répartition des ions, due à une modification de la perméabilité membranaire aux ions Na^+ et K^+.

3. Propagation du potentiel d'action

a. Fibres sans myéline

La dépolarisation d'une portion de l'axone provoque l'ouverture des canaux voltage-dépendants, à Na^+ puis à K^+ de la portion adjacente. L'ouverture de proche en proche de ces canaux explique la propagation des potentiels d'action le long de l'axone, et la relative lenteur de celle-ci.

b. Fibres avec myéline

Les flux d'ions ne s'effectuent qu'aux nœuds situés aux interruptions de la gaine de myéline. Les courants locaux qui s'établissent entre le nœud dépolarisé et les deux nœuds de part et d'autre y provoquent l'ouverture de leurs canaux voltage-dépendants. Le nœud en amont est inexcitable car il se trouve en période réfractaire ; il naît un potentiel d'action au nœud aval. Ce mécanisme explique la **propagation unidirectionnelle** des messages nerveux le long d'un axone. Et c'est parce que les échanges ioniques ne se font qu'aux nœuds que la propagation est saltatoire, et donc **rapide,** dans les fibres avec myéline.

La propagation se fait de proche en proche, d'une zone dépolarisée aux canaux voltage-dépendants voisins.

4. Synthèse à propos des phénomènes ioniques

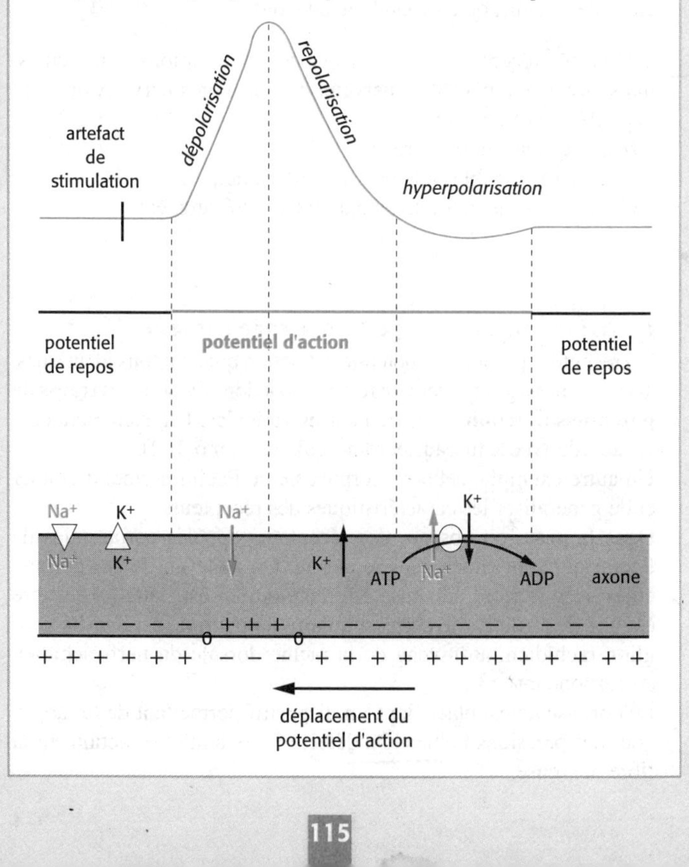

3 RÉCEPTEURS SENSORIELS ET MESSAGE NERVEUX

● Les **récepteurs** sensoriels sont très abondants dans le corps. Certains donnent, en présence d'un stimulus, une sensation consciente, par exemple :
– cellules visuelles : cônes et bâtonnets de la rétine, sensibles à la lumière ;
– cellules gustatives de la langue ;
– cellules olfactives des fosses nasales ;
– cellules réceptrices de l'oreille interne, sensibles aux vibrations ;
– récepteurs spécialisés de la peau, sensibles au toucher (corpuscules de Pacini), ou au chaud, ou au froid.

● D'autres récepteurs ne donnent pas de sensations conscientes, mais envoient aux centres nerveux des messages nerveux qui sont exploités à notre insu :
– fuseaux neuromusculaires ;
– récepteurs sensibles à la pression artérielle ;
– récepteurs sensibles à la teneur en CO_2 du sang, etc.

▶ A. Stimulus et codage du message nerveux

Un récepteur produit des potentiels d'action qui sont tous identiques. Tous les messages nerveux se ressemblent donc, ce sont des **trains de potentiels d'action** à des fréquences variables. Un exemple a déjà été abordé avec le fuseau neuromusculaire (voir p. 102).
Un autre exemple, celui du corpuscule de Pacini permet d'étudier et de généraliser les caractéristiques des récepteurs.
Dans la peau, on observe des récepteurs appelés corpuscules de Pacini qui sont situés dans le derme. On isole un de ces corpuscules avec la fibre nerveuse afférente qui en est issue (cette fibre est une dendrite car le corps cellulaire du neurone est dans le ganglion rachidien, au niveau de la racine dorsale du nerf rachidien correspondant).
Le corpuscule est placé dans un dispositif permettant de lui appliquer des pressions faibles. On détecte les potentiels d'action sur la fibre nerveuse.

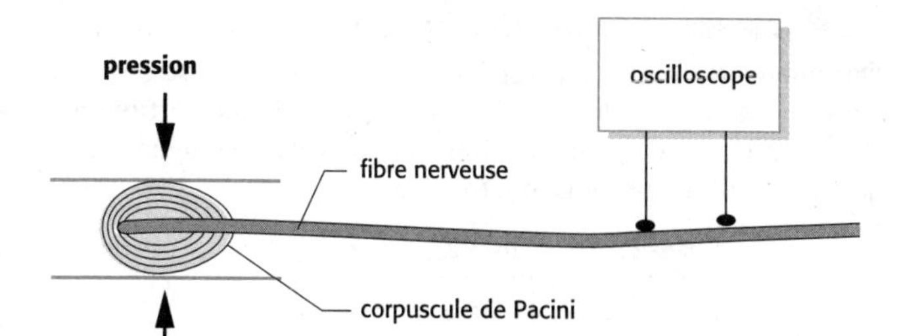

En appliquant des pressions croissantes, stimulations sur les corpuscules, on enregistre, à l'aide d'un oscilloscope, les messages nerveux correspondants :

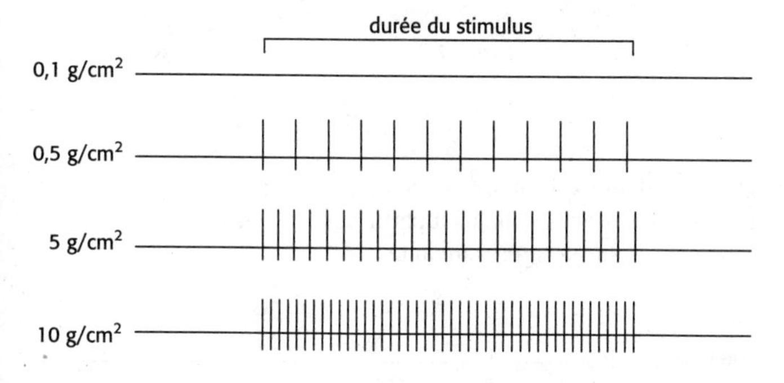

Le récepteur traduit l'augmentation de l'intensité du stimulus par une **fréquence des potentiels d'action** de plus en plus forte. Ce message donne aux centres nerveux des renseignements sur l'état de compression de la peau, ce qui constitue le sens du toucher. Il n'y a donc pas de différence entre les messages nerveux provenant des fuseaux neuromusculaires et des corpuscules de Pacini. Le système nerveux central les identifie cependant, car ils n'arrivent pas au même endroit.

Les récepteurs traduisent tous l'intensité du stimulus pour lequel ils sont spécialisés, par une série de potentiels d'action dont la fréquence est le seul paramètre variable.

B. Naissance du message nerveux

Des microélectrodes sont placées dans la fibre nerveuse contenue dans un corpuscule de Pacini (trace 1), dans la même fibre à la sortie du corpuscule (trace 2) et, toujours dans la même fibre, quelques millimètres plus loin (trace 3).

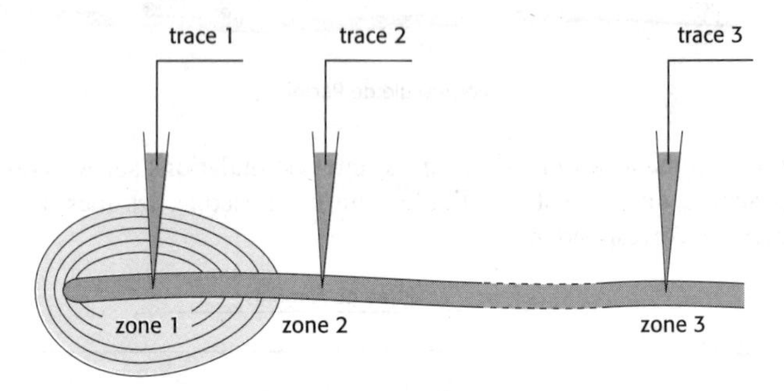

Des stimulations d'intensité croissante sont appliquées sur le corpuscule. Les tracés obtenus à partir des trois microélectrodes sont schématisés sur la figure suivante :

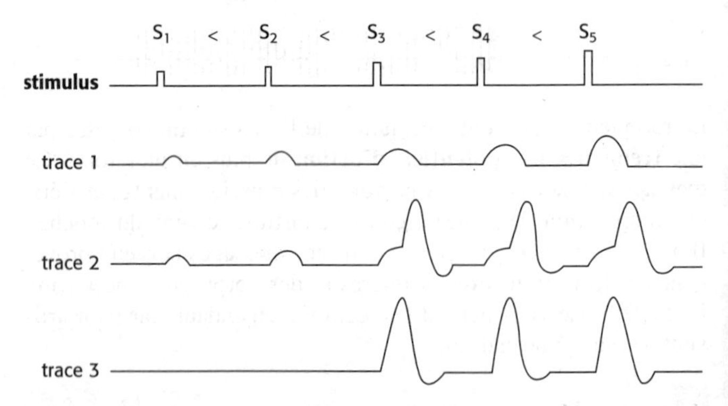

- Dans la zone 1 (zone de transduction), le stimulus est traduit par une dépolarisation de faible amplitude appelé **potentiel de récepteur. L'amplitude** de ce potentiel de récepteur est fonction de l'intensité de la stimulation. La réponse est de type analogique.

- Dans la zone 2 (zone génératrice de potentiels d'action), le potentiel de récepteur arrive et provoque, s'il atteint un seuil de dépolarisation, la production d'un potentiel d'action. Une stimulation plus importante permettra d'atteindre plus rapidement le seuil et augmentera donc la **fréquence** des potentiels d'action. La réponse est de type numérique.

- Dans la zone 3 (fibre afférente), le potentiel de récepteur ne se retrouve pas car il n'est pas propagé. Seul le potentiel d'action se propage le long de la fibre nerveuse, sans subir de modification, quelle que soit la longueur de cette fibre.

- Le seuil de dépolarisation, variable d'un récepteur à l'autre, permet un phénomène de recrutement. Dans certains cas, le niveau du seuil est contrôlé par le système nerveux central (par une petite fibre efférente), ce qui permet de régler la sensibilité des récepteurs.

Un récepteur convertit le stimulus auquel il est sensible en une première réponse analogique, en modulation d'amplitude. Celle-ci est traduite à son tour en une deuxième réponse numérique, en modulation de la fréquence des potentiels d'action.

10

SYNAPSES ET INTÉGRATION NERVEUSE

point de départ

Les cellules nerveuses ne sont pas isolées. Au contraire, chacune d'entre elles communique avec de nombreuses autres cellules : nerveuses, musculaires ou glandulaires. Ces communications entre cellules se font par des **synapses.**

Mots-clés *synapse, neurotransmetteur, récepteur membranaire, potentiels postsynaptiques excitateur et inhibiteur (PPSE et PPSI), sommation*

1 Fonctionnement des synapses

Au niveau d'une synapse, les deux cellules sont très proches l'une de l'autre, mais sont séparées par un petit **espace synaptique.**
L'espace synaptique est limité par les deux membranes cellulaires : **présynaptique** pour l'axone et **postsynaptique** pour la dendrite ou le corps cellulaire.
Cette dernière est un peu plus épaisse que les membranes plasmiques courantes. Le cytoplasme de la cellule présynaptique contient de nombreuses **vésicules synaptiques,** contenant un **neurotransmetteur.**

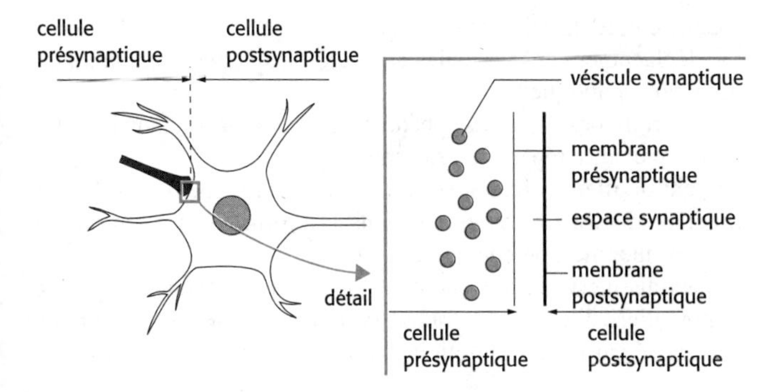

A. La communication entre les deux cellules

- Un potentiel d'action (PA) arrive du côté présynaptique, il s'arrête au bout de l'axone car il ne peut passer directement à la cellule voisine.

- L'arrivée de ce potentiel d'action provoque, au niveau de la membrane présynaptique, l'ouverture de **canaux à Ca^{2+} voltage-dépendants.** Les ions calcium, qui prédominent dans le milieu extracellulaire, vont donc pénétrer dans le cytoplasme de la cellule présynaptique.

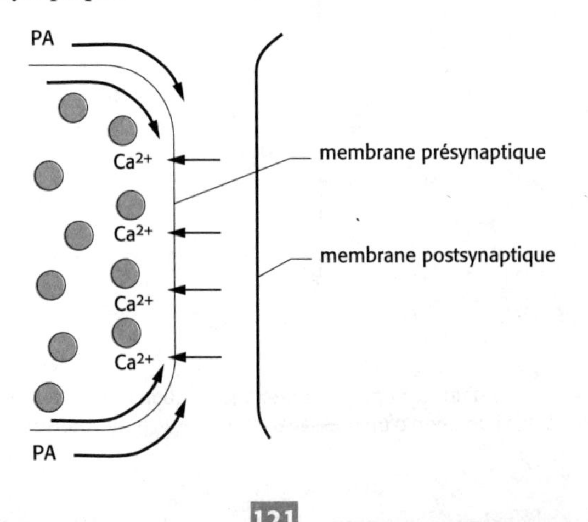

● Cette entrée de calcium provoque :
– le déplacement des vésicules de neurotransmetteur vers la membrane présynaptique ;
– l'ouverture des vésicules (phénomène d'exocytose) dans l'espace synaptique où se répand le neurotransmetteur.
On peut d'ailleurs obtenir expérimentalement le même résultat en injectant du Ca^{2+} directement dans la terminaison axonique, à l'aide d'une micropipette en verre étiré.
Le message nerveux présynaptique, caractérisé par une fréquence de potentiels d'action, se traduit donc par un message chimique caractérisé par la concentration en neurotransmetteurs libérés.

● Le neurotransmetteur atteint la membrane postsynaptique où se trouvent des récepteurs membranaires. Il s'agit de protéines incluses dans la membrane postsynaptique et possédant un site de fixation du neurotransmetteur. La fixation de ce dernier sur le récepteur est de courte durée, car une enzyme présente dans l'espace synaptique l'inactive et libère ainsi le récepteur.

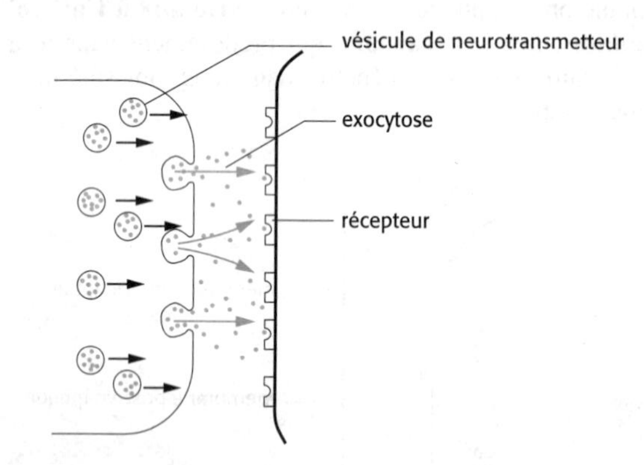

Au niveau d'une synapse, les potentiels d'action présynaptiques provoquent la libération d'un messager chimique, le neurotransmetteur.

B. Phénomènes électriques postsynaptiques

- L'effet de l'arrivée du neurotransmetteur peut être étudié à l'aide d'une microélectrode placée dans le corps cellulaire de la cellule postsynaptique.

On peut, soit stimuler la cellule présynaptique, soit injecter du neurotransmetteur au niveau de l'espace synaptique avec une micropipette.

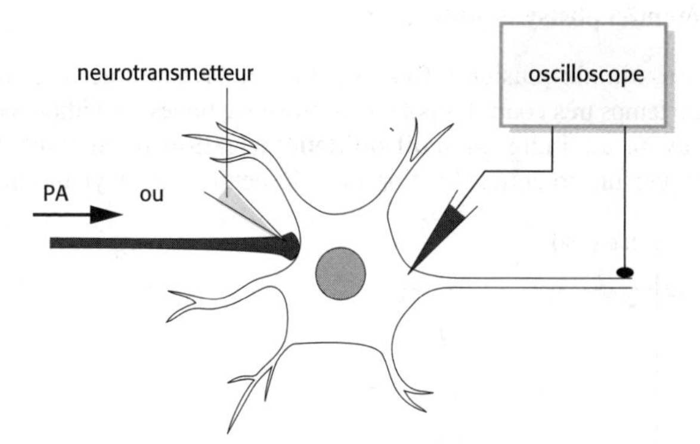

- Dans les deux cas, le résultat sera le même.

La plupart du temps, l'oscilloscope enregistre une **dépolarisation :**

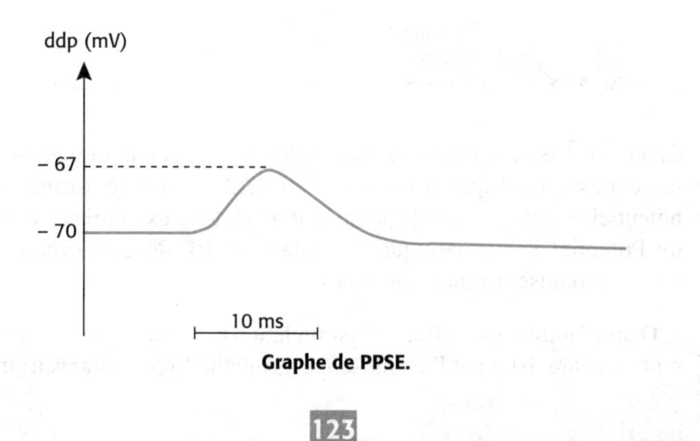

Graphe de PPSE.

Cette dépolarisation se distingue d'un potentiel d'action par deux caractéristiques :
– sa faible amplitude : de 2 à 5 mV (contre 100 mV pour un potentiel d'action) ;
– sa très faible propagation : elle ne parcourt pas plus d'un millimètre, alors qu'un potentiel d'action peut parcourir sans s'affaiblir des fibres nerveuses mesurant plusieurs mètres chez de grands animaux. Cette dépolarisation faible et non propagée est un **potentiel postsynaptique.**

● Si on stimule plusieurs fois la cellule présynaptique dans un laps de temps très court, les potentiels postsynaptiques s'additionnent et peuvent atteindre un **seuil de dépolarisation** permettant de provoquer un potentiel d'action dans le neurone postsynaptique.

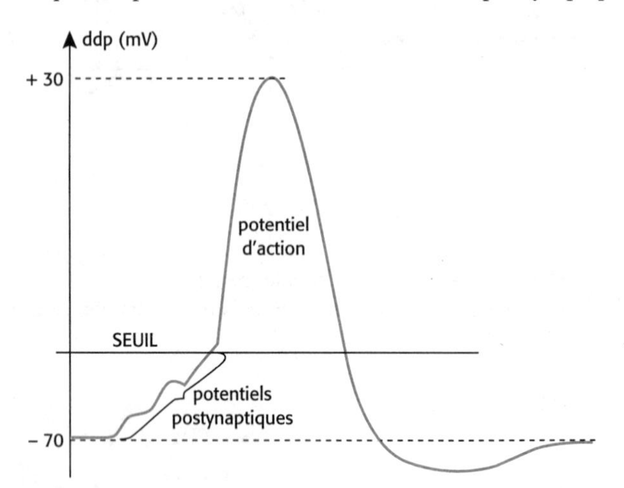

Chaque petite dépolarisation rapproche donc le potentiel membranaire postsynaptique d'un seuil, au-delà duquel se forme un potentiel d'action. Cette dépolarisation est donc excitatrice : c'est un Potentiel Postsynaptique Excitateur ou **PPSE.** Les synapses qui les produisent sont excitatrices.

● Dans d'autres cas, l'effet de la stimulation présynaptique est différent : on enregistre sur l'oscilloscope une petite **hyperpolarisation.**

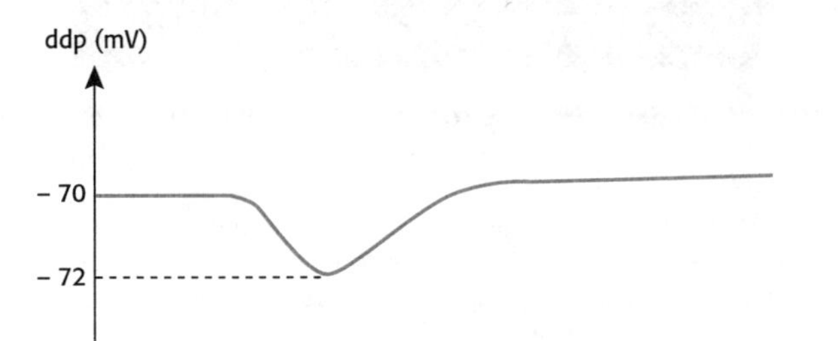

Cette hyperpolarisation de faible amplitude éloigne le potentiel membranaire postsynaptique du seuil de dépolarisation, elle est donc inhibitrice : c'est un Potentiel Postsynaptique Inhibiteur ou **PPSI.** Les synapses qui les produisent sont inhibitrices.
On peut également obtenir un PPSI en injectant un neurotransmetteur au niveau de la synapse inhibitrice à l'aide d'une micropipette ; ce neurotransmetteur inhibiteur est différent des neurotransmetteurs des synapses excitatrices.

● Les PPSI se soustraient à la somme des PPSE, pouvant alors empêcher la formation de potentiels d'action, en abaissant le potentiel postsynaptique en dessous du seuil de dépolarisation.

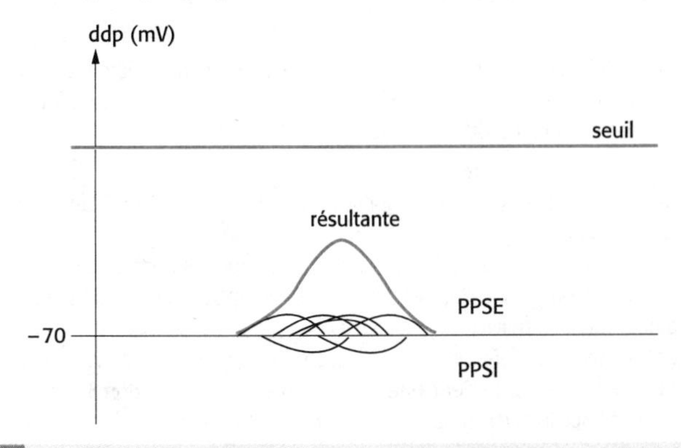

Une synapse engendre dans le neurone postsynaptique des PPSE ou des PPSI.

INTERPRÉTATION IONIQUE DES POTENTIELS POSTSYNAPTIQUES

Les **récepteurs membranaires** à neurotransmetteurs sont des **canaux ioniques** neurotransmetteurs-dépendants, c'est-à-dire des molécules protéiques fermées au repos et possédant un site de fixation caractéristique de leur neurotransmetteur.
Lorsque le neurotransmetteur occupe le site de fixation, le canal s'ouvre à l'ion correspondant.

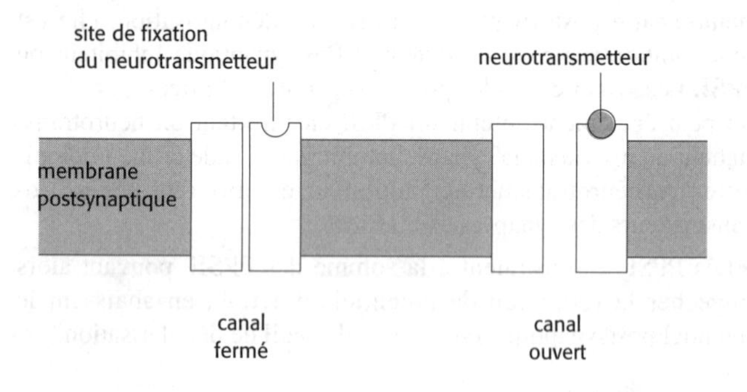

● Dans le cas des synapses excitatrices, produisant des PPSE, il s'agit de canaux à Na^+. L'entrée de l'ion Na^+ dans la cellule provoque une dépolarisation (Na^+ prédomine dans le milieu extracellulaire).

● Dans le cas des synapses inhibitrices, produisant des PPSI, deux cas peuvent se produire :
– Des canaux à Cl^- s'ouvrent sous l'effet du neurotransmetteur. La pénétration de Cl^- dans la cellule entraîne une hyperpolarisation (Cl^- prédomine aussi dans le milieu extracellulaire).
– Des canaux à K^+ s'ouvrent aussi à cause du neurotransmetteur. La sortie de K^+ entraîne également une hyperpolarisation (K^+ prédomine dans le milieu intracellulaire). Si la résultante des PPSE et des PPSI atteint le seuil de dépolarisation de la cellule postsynaptique, les canaux à Na^+ voltage-dépendants s'ouvrent et génèrent un potentiel d'action. Il faut pour cela que les PPSE prédominent par rapport aux PPSI.

2 SOMMATION SPATIALE ET TEMPORELLE

Une cellule nerveuse, par exemple un motoneurone de la moelle épinière, reçoit, de façon permanente, des milliers d'afférences, provenants de nombreux neurones issus de récepteurs ou d'autres régions du système nerveux central. Certaines sont excitatrices car produisant des PPSE, d'autres sont inhibitrices car génératrices de PPSI. La cellule réalise une véritable somme algébrique de toutes ces afférences (positives pour les PPSE et négatives pour les PPSI). C'est la **sommation** de tous les potentiels postsynaptiques.

Cette propriété des cellules nerveuses constitue leur **capacité intégratrice.**
Ces potentiels peuvent provenir de plusieurs cellules afférentes actives en même temps (sommation spatiale) ou de la même cellule ayant une fréquence de fonctionnement élevée (sommation temporelle), ces deux modes de sommation peuvent également se combiner.
Le potentiel postsynaptique global qui résulte de cette sommation, est sans effet s'il est inférieur au seuil de dépolarisation de la cellule étudiée, ou provoque un potentiel d'action s'il est supérieur au seuil. Si le seuil est atteint de façon constante en raison d'une stimulation permanente, il en résulte une production continue de potentiels d'action caractérisée par une certaine fréquence et constituant un message nerveux.

La cellule nerveuse réalise l'**intégration** de tous les PPSE et PPSI qui se forment dans son corps cellulaire et produit un message nerveux codé en fréquence, si le potentiel postsynaptique global atteint le seuil.

3 LA MISE EN JEU COORDONNÉE DES EFFECTEURS

A. Le réflexe myotatique (voir chapitre 9, page 100)

Il permet d'étudier la fonction intégratrice des motoneurones à partir d'un exemple relativement simple.

La mesure du **délai synaptique** (temps nécessaire pour franchir une ou plusieurs synapses) accompagnant le passage du message nerveux dans la moelle épinière indique la présence d'une seule synapse (réflexe monosynaptique) : on peut donc établir un schéma du cheminement du message nerveux au cours de ce réflexe.

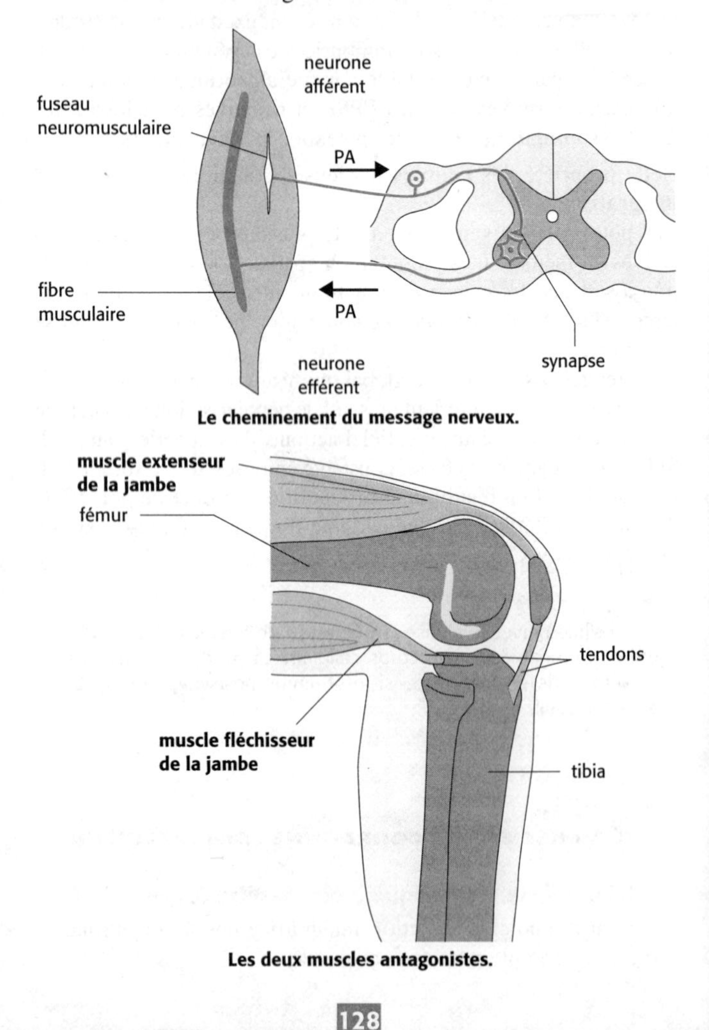

Le cheminement du message nerveux.

Les deux muscles antagonistes.

Au cours de l'expérience, on peut s'apercevoir que si le muscle étiré se contracte, le muscle antagoniste, au contraire, se relâche. Cette réaction accompagne le réflexe myotatique et lui donne toute son efficacité.

● **Expérience**

On place des microélectrodes dans deux motoneurones de la moelle épinière, l'un innervant le **muscle extenseur** (neurone E), et l'autre innervant le **muscle fléchisseur** (neurone F). On étire brusquement le muscle extenseur, et on observe des réactions très différentes au niveau des cellules nerveuses E et F.

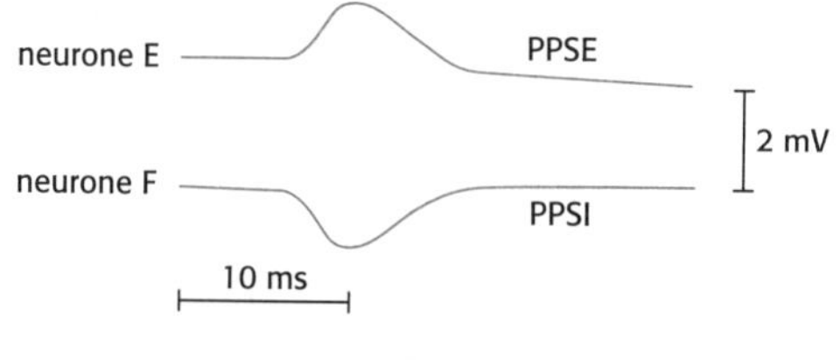

PPSE/PPSI.

Le PPSE du neurone E associé à d'autres PPSE similaires va contribuer à la production des potentiels d'action, provoquant la contraction réflexe du muscle extenseur.
Au contraire, le PPSI du neurone F tend à empêcher la production de potentiels d'action et participe au relâchement du muscle fléchisseur.

Le message nerveux afférent provenant du fuseau neuromusculaire du muscle extenseur est donc excitateur pour le neurone E et inhibiteur pour le neurone F.
Or, une même fibre nerveuse ne peut en aucun cas être, en même temps, excitatrice et inhibitrice. C'est donc qu'il existe un neurone supplémentaire ou interneurone qui est excité par le neurone afférent et qui inhibe le motoneurone F.
On parle, pour deux **muscles antagonistes, d'innervation réciproque,** puisqu'une même afférence excite l'un et inhibe l'autre.

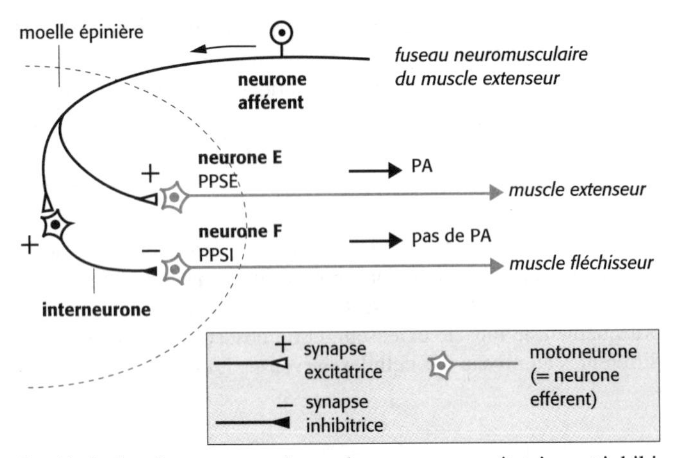

Le dépôt de substances au niveau des synapses excitatrices et inhibitrices à l'aide de micropipettes montre que les synapses n'utilisent pas les mêmes neurotransmetteurs ; dans ce cas on utilise :
– l'**aspartate** pour les synapses excitatrices ;
– le **GABA** pour les synapses inhibitrices (acide gamma-aminobutyrique).

L'innervation réciproque permet une coordination des actions musculaires : un muscle se relâche pendant que son antagoniste se contracte.

B. Généralisation

Les mouvements volontaires ou réflexes mettent en jeu des **réseaux de neurones** complexes avec de très nombreuses synapses.
L'organisation de ces réseaux comprend des interneurones inhibiteurs : lorsqu'un muscle est excité, son muscle antagoniste est systématiquement inhibé. Cette coordination des stimulations et des inhibitions donne leur efficacité maximale aux mouvements, en empêchant deux muscles antagonistes de se contracter en même temps.

ASPECT BIOCHIMIQUE DU FONCTIONNEMENT NERVEUX

De nombreux neurotransmetteurs participent au fonctionnement du cerveau. Ils sont difficiles à mettre en évidence, car ce sont souvent des molécules banales comme des acides aminés, des petits polypeptides, ou des molécules aminées.

1. Les neurotransmetteurs de la perception douloureuse

Les stimulus d'intensité excessive engendrent une perception douloureuse. Les potentiels d'action formant le message nerveux correspondant à cette perception suivent des neurones particuliers dont les relais synaptiques sont dans la moelle épinière. Le neurotransmetteur de ces synapses est la **substance P,** un petit polypeptide de onze acides aminés. Ces synapses principales reçoivent également d'autres afférences de neurones secondaires dont le neurotransmetteur est l'**enképhaline.**

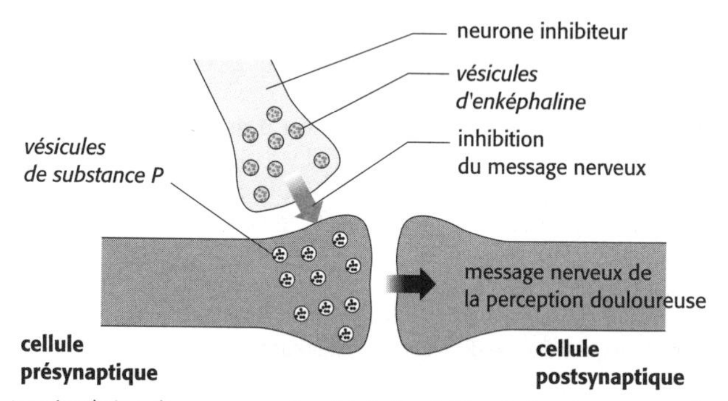

La stimulation des neurones à enképhaline inhibe le fonctionnement des synapses à substances P : l'enképhaline s'oppose à la transmission du message nerveux douloureux, c'est un antidouleur naturel.

2. Déficiences pathologiques en neurotransmetteurs

Plusieurs maladies nerveuses ont pu être expliquées par la mise en évidence d'anomalies quantitatives pour certains neurotransmetteurs cérébraux.

a. Dopamine et maladie de Parkinson

Les malades atteints de la maladie de Parkinson présentent d'importants tremblements : le contrôle des mouvements volontaires est en effet altéré. La voie motrice assurant le contrôle de ces mouvements comprend des neurones dont la **dopamine** est le neurotransmetteur. Or, les dosages révèlent chez ces malades des quantités anormalement basses de dopamine dans certaines régions de l'encéphale. Traitement : on obtient des résultats intéressants en administrant un précurseur de la dopamine à ces patients.

b. Déficience en GABA et chorée de Huntington

Le **GABA,** ou acide gamma-aminobutyrique, est le principal neurotransmetteur du cortex cérébral, participant au fonctionnement de nombreuses synapses inhibitrices de l'encéphale et de la moelle épinière. Une déficience d'origine génétique de son métabolisme provoque la chorée de Huntington, maladie se traduisant par des mouvements involontaires et désordonnés, ainsi qu'une évolution lente vers la démence.

3. Mode d'action des drogues

Une drogue modifie le fonctionnement des synapses, en interférant avec le fonctionnement normal du neurotransmetteur. Elle peut, entre autres :
– inhiber la synthèse du neurotransmetteur ;
– bloquer la libération du neurotransmetteur dans l'espace synaptique ;
– se fixer sur le récepteur en l'activant : il y a alors imitation du neurotransmetteur ;
– se fixer sur le récepteur en le bloquant : le neurotransmetteur devient alors inefficace ;
– inhiber les enzymes qui dégradent le neurotransmetteur ;
– bloquer la réabsorption du neurotransmetteur par la cellule présynaptique ;
– empêcher le stockage du neurotransmetteur dans les vésicules.

4. Traitement antalgique

La **morphine** est un antidouleur pharmacologique, fréquemment utilisé pour soulager des malades atteints de maladies graves et souffrant beaucoup. Cette substance présente une analogie avec l'enképhaline et stimule les mêmes récepteurs antidouleur, au niveau des synapses à substances P. Elle permet donc un traitement antalgique, c'est-à-dire supprimant la douleur, très efficace.

Prêts pour le bac ?

4 Le réflexe myotatique et les mécanismes synaptiques.
(Restitution des connaissances)

Le réflexe myotatique se traduit par une contraction du muscle excité et un relâchement de son antagoniste.

Question : *Après avoir représenté le trajet des messages nerveux, vous montrerez comment les mécanismes synaptiques permettent d'expliquer le mouvement réflexe.*
Vous ferez les schémas que vous jugerez nécessaires pour une bonne compréhension de votre devoir.
Les mécanismes ioniques ne sont pas attendus.

POUR VOUS GUIDER

1. Trajet des messages nerveux

– Le message nerveux prend naissance dans un récepteur, ici un fuseau neuromusculaire.

– Il est transmis par une fibre nerveuse afférente.

– Le centre nerveux du réflexe myotatique est dans la moelle épinière, au niveau des motoneurones qui produisent des messages nerveux efférents.

– Ceux-ci sont transmis par des fibres nerveuses efférentes.

– Les effecteurs, ici les muscles, réagissent : le muscle étiré se contracte, son antagoniste se relâche.

2. Mécanismes synaptiques

Au niveau des motoneurones du muscle étiré, les potentiels d'action afférents provoquent des PPSE. Lorsque la somme des PPSE atteint un seuil de dépolarisation, cela déclenche un potentiel d'action efférent responsable de la contraction musculaire.

Au niveau des motoneurones du muscle antagoniste, les potentiels d'action afférents provoquent, par l'intermédiaire d'interneurones, des PPSI qui se soustraient à d'éventuels PPSE. Le muscle antagoniste ne reçoit donc pas de potentiels d'action et se relâche.

Ceci peut être illustré par un schéma (par exemple, le schéma de la p. 130).

Partie 4

Fonctionnement d'un système de régulation hormonal

Avant de commencer

QUELQUES RAPPELS SUR LA COMMUNICATION HORMONALE

Les messages hormonaux

Il existe deux types de message internes : les messages nerveux, de nature essentiellement électrique et les messages hormonaux, de nature chimique. Ces derniers se caractérisent par :

– une production : une **hormone** est une molécule produite par des cellules **endocrines** (l'ensemble de ces cellules forme une **glande** endocrine), déversant leur sécrétion dans le sang ;

– un transport : une hormone est transportée par le **sang** ;

– une réponse : une hormone est un **messager chimique,** capable d'agir **à distance** sur des **cellules-cibles** dont elle modifie le fonctionnement (réponse au message hormonal).

La reproduction humaine

- Chez l'Homme, les testicules produisent en continu, dès la puberté, des **spermatozoïdes.**
- Chez la Femme, de la puberté à la ménopause, les ovaires et l'utérus ont un fonctionnement cyclique (environ quatre semaines).
- L'**ovulation** est la période du cycle où un **ovocyte** est expulsé de l'ovaire grâce à l'éclatement du follicule qui le contenait.
- L'ovulation est précédée d'une phase folliculaire ou préovulatoire d'environ 14 jours, au cours de laquelle le follicule achève son développement.
- Après l'ovulation, le follicule éclaté se transforme en corps jaune pendant la phase lutéale ou postovulatoire qui dure 14 jours.
- Le cycle utérin, lié au cycle ovarien, correspond au développement de la muqueuse utérine et se termine par les règles, ou destruction partielle de cette muqueuse.
- Des **hormones** règlent les mécanismes de la reproduction et contrôlent les caractères sexuels.

11 RÉGULATION DES HORMONES FEMELLES

point de départ

La régulation des taux d'hormones femelles met en jeu plusieurs glandes endocrines, comme c'est le cas pour l'appareil reproducteur mâle. Cette régulation est compliquée par l'existence des cycles, au cours desquels on enregistre des variations importantes des taux d'hormones circulantes, qui accompagnent les modifications cycliques des organes de l'appareil reproducteur.

Mots-clés *hormones, neurosécrétion, œstradiol, progestérone, FSH, LH, GnRH*

1 LE RÔLE ENDOCRINE DES OVAIRES

Le fonctionnement de l'appareil reproducteur femelle est marqué par des cycles, durant en moyenne quatre semaines chez la femme. On définit généralement le cycle comme la période s'étendant du début des règles (désagrégation de la muqueuse utérine) jusqu'au début des règles suivantes.

Les ovaires ont une double fonction dans l'organisme :

– la production d'ovocytes qui a lieu dans les follicules ovariens ;

– la production d'hormones ; c'est la fonction endocrine de l'ovaire, assurée par les cellules des follicules et du corps jaune.

▶ A. La sécrétion des hormones ovariennes

La production d'hormones par les **glandes endocrines** que sont les ovaires peut être mise en évidence par des expériences de castration (ablation des ovaires).

1. Expérience 1 : Effets de l'ablation des ovaires

L'ablation des ovaires ou castration chez une jeune femelle impubère n'entraîne pas de modifications apparentes du fonctionnement de l'organisme, ce qui prouve que pendant la période juvénile, les ovaires sont pratiquement inactifs. En revanche, lorsque l'animal castré arrive à l'âge adulte, on n'observe aucune des transformations caractéristiques de la puberté.

– **Les caractères sexuels primaires** (trompes, utérus, vagin), restent peu développés comme chez le jeune animal. De plus, on n'observe jamais de cycle.

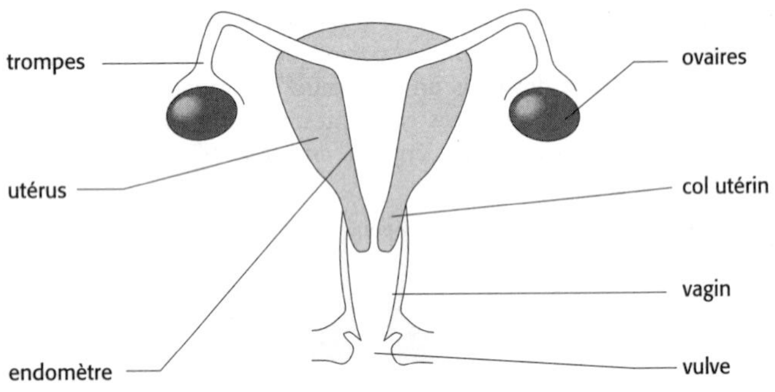

– **Les caractères sexuels secondaires** conservent un aspect juvénile, c'est le cas en particulier des glandes mammaires.

Conclusion de l'expérience 1 : le développement des caractères sexuels et le fonctionnement de l'appareil reproducteur femelle sont sous la dépendance des ovaires.

2. Expérience 2 : Mise en évidence des hormones ovariennes

Une rate castrée reçoit une greffe d'ovaires, on observe rapidement le développement des caractères sexuels. Or, le greffon se relie à la circulation sanguine du receveur en quelques jours, alors que les connections nerveuses ne se rétablissent pas.

Conclusion : la relation entre les ovaires et les caractères sexuels n'est pas nerveuse, mais elle est sanguine.
De plus, chez un animal castré, l'injection d'extraits ovariens peut compenser les effets de la castration. On peut même obtenir des cycles utérins avec menstruations.

Conclusion de l'expérience 2 : les ovaires agissent sur les caractères sexuels par une ou des substances actives ou **hormones.** Les ovaires sont donc bien des glandes endocrines.
En faisant l'analyse chimique des extraits ovariens, on peut détecter deux hormones : **l'œstradiol** et la **progestérone.**

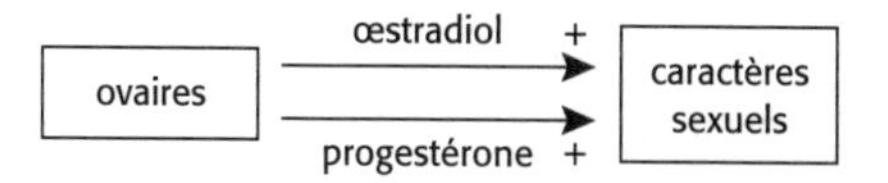

– L'œstradiol est synthétisé dans les **follicules** en cours de développement.
– La progestérone est fabriquée pendant la phase lutéale (ou post-ovulatoire), dans le **corps jaune** : celui-ci résulte de la transformation et du développement d'un follicule mûr, après son éclatement lors de l'ovulation.
Les deux hormones, injectées à des jeunes femelles castrées ont des effets très différents.
– L'œstradiol seul permet le développement des caractères sexuels primaires et secondaires : c'est l'**hormone féminisante.** On n'observe jamais de cycles avec menstruations dans ces conditions.
– La progestérone seule n'a pratiquement pas d'effet ; en revanche, injectée en même temps que l'œstradiol, elle provoque le développement complet de l'endomètre. De plus, l'arrêt de ces injections de progestérone entraîne des règles.

B. Production cyclique d'hormones ovariennes

On peut, par des analyses régulières et fréquentes, connaître les teneurs en œstradiol et en progestérone sanguines au cours du cycle.

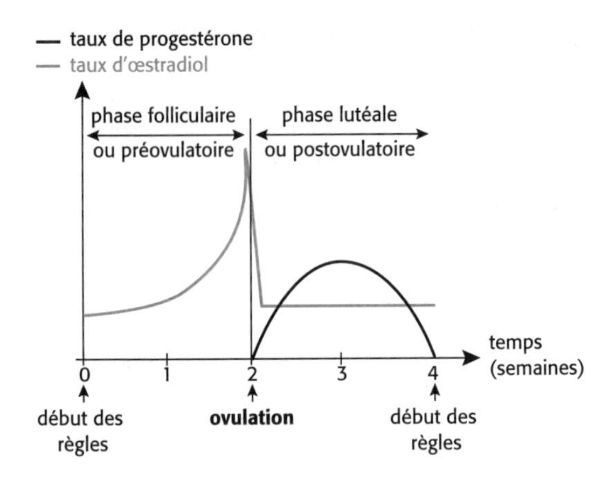

1. Le taux d'œstradiol

Il ne s'annule jamais : il augmente doucement puis de plus en plus rapidement pendant la période préovulatoire. Il reprend le niveau de base pendant la période postovulatoire.
Ce niveau de base s'explique par la durée importante (plusieurs mois) du développement des follicules. Il existe donc en permanence dans l'ovaire un ensemble de follicules en croissance qui produisent de l'œstradiol.

2. Le taux de progestérone

La progestérone n'est synthétisée que pendant la seconde partie du cycle donc après l'ovulation. La durée de sa sécrétion correspond à la durée de fonctionnement du corps jaune (deux semaines chez la Femme).

C. Le contrôle hormonal du cycle utérin

- L'œstradiol pendant la phase folliculaire, l'œstradiol et la progestérone pendant la phase lutéale, entraînent un épaississement considérable de la muqueuse utérine ou **endomètre** : cet épaississement est indispensable à la réalisation de l'éventuelle **nidation** de l'embryon, une semaine après la fécondation.

- La progestérone n'est synthétisée que pendant la seconde partie du cycle. C'est l'arrêt de cette production qui provoque les

règles : elles consistent en un saignement utérin, accompagnant la désagrégation de l'endomètre.

D. Le contrôle hormonal du cycle thermique

L'ovulation peut être détectée par la prise quotidienne de la température au réveil : la température s'élève de quelques dixièmes de degrés à partir du jour de l'ovulation. En effet, la progestérone sécrétée pendant la phase lutéale stimule le métabolisme et élève la température corporelle :

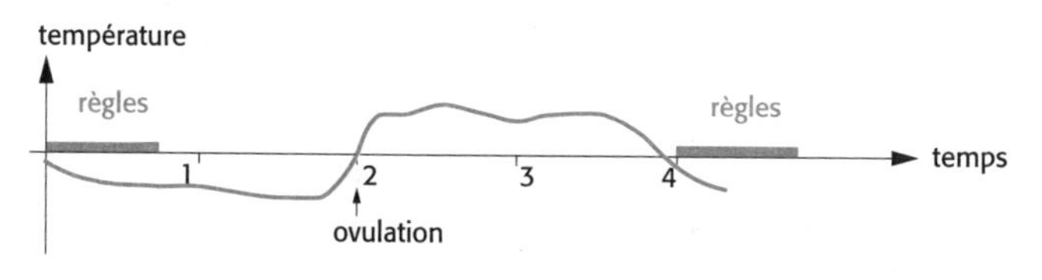

Les ovaires contrôlent le développement et le fonctionnement cyclique des caractères sexuels grâce à deux hormones : l'œstradiol et la progestérone.

2 Rôle de l'hypophyse antérieure

A. Expériences

L'hypophyse est située sous l'encéphale, elle est constituée de deux parties distinctes : l'hypophyse antérieure glandulaire (ou antéhypophyse) et l'hypophyse postérieure nerveuse (ou posthypophyse). Une série d'expériences permet de mettre en évidence le rôle de l'hypophyse antérieure.

1. Expérience 1 : Ablation de l'antéhypophyse

L'ablation de l'hypophyse antérieure ou antéhypophysectomie entraîne un blocage complet des ovaires : on n'observe plus d'ovulation ni de production d'hormones ovariennes.

L'hypophyse antérieure stimule donc les ovaires, en tant que glande endocrine et producteurs d'ovules.

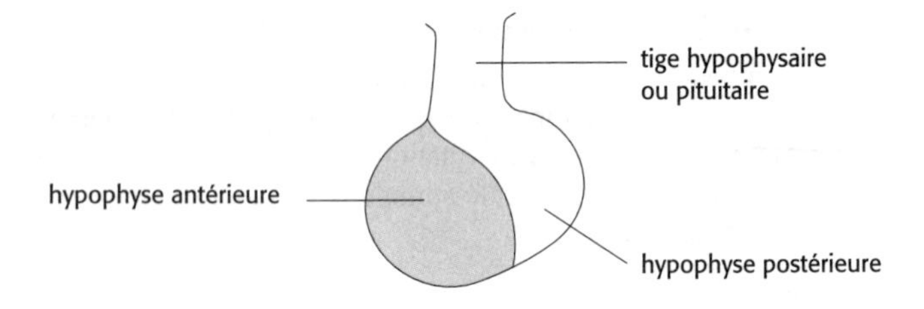

2. Expérience 2 : Injection d'extraits hypophysaires

Chez un animal hypophysectomisé, l'injection d'extraits hypophysaires peut rétablir toutes les fonctions ovariennes. Le fonctionnement des ovaires est donc sous le contrôle hormonal de l'antéhypophyse. L'analyse chimique montre qu'il y a, en fait, deux hormones antéhypophysaires : la **FSH** et la **LH** :

– FSH, Follicle Stimulating Hormone, ou hormone folliculostimulante, agit sur le développement et le fonctionnement des follicules producteurs d'œstradiol.

– LH, Luteinizing Hormone, ou hormone lutéinisante, agit sur la production de progestérone par le corps jaune.

Des injections de FSH et de LH chez un individu castré sont sans effet sur le développement des caractères sexuels. Ces hormones agissent uniquement sur les ovaires, qui, à leur tour, produisent l'œstradiol et la progestérone.

3. Expérience 3 : l'effet d'un pic de LH

– Chez un animal hypophysectomisé, une injection régulière et continue (par perfusion) de FSH et LH en doses moyennes, permet une reprise du développement des follicules et de la production d'œstradiol, mais n'entraîne pas d'ovulation.

– Au bout de quelques semaines, une seule injection supplémentaire de LH en dose beaucoup plus importante, déclenche une ovulation.

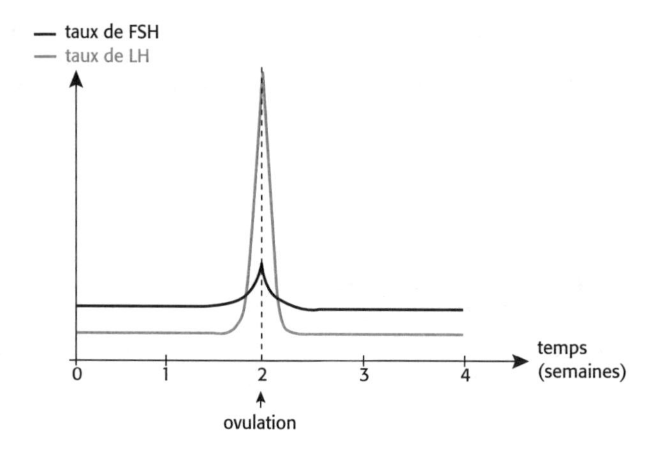

Conclusion de l'expérience 3 : en faible quantité, FSH et LH permettent le fonctionnement des ovaires, excepté l'ovulation. Celle-ci est provoquée par une forte dose de LH.
Ce mode d'action correspond bien aux taux de ces deux hormones, mesurés chez une Femme pendant tout un cycle.

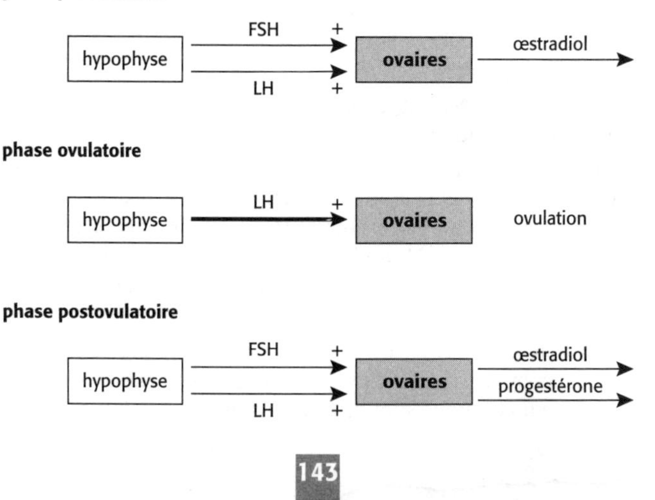

Le taux de ces deux hormones est à peu près constant tout au long du cycle, sauf au moment de l'ovulation, où on observe un **pic de LH.** Celui-ci est responsable du déclenchement de l'ovulation.

3 Relation hypothalamus-hypophyse antérieure

L'**hypothalamus** est la région du cerveau surmontant l'hypophyse. On y trouve plusieurs noyaux de substance grise (c'est-à-dire contenant des corps cellulaires de neurones).

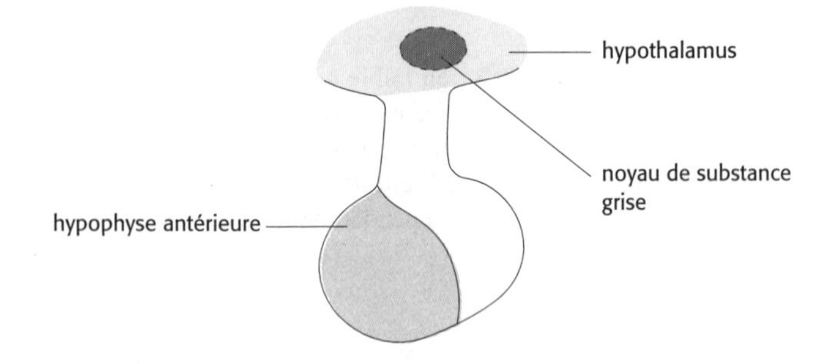

A. Expériences

1. Expérience 1 : Modifications des relations hypophyse-hypothalamus

Sur un animal, comme une rate, on peut ôter l'hypophyse antérieure sans la léser et la greffer ailleurs dans l'organisme du même animal, sous la peau par exemple. Bien que l'organe soit intact, les productions de FSH et de LH sont nulles. Si on replace, en position initiale, l'antéhypophyse sous l'hypothalamus, la sécrétion reprend, petit à petit, pour redevenir normale.

Conclusion de l'expérience 1 : la proximité de l'hypothalamus et de l'antéhypophyse est indispensable au fonctionnement de cette dernière. L'hypothalamus stimule l'antéhypophyse à faible distance.

2. Expérience 2 : Suppression de la relation hypophyse-hypothalamus

L'interruption de la tige pituitaire par une petite feuille de plastique entraîne le blocage du fonctionnement de l'antéhypophyse et l'accumulation, en amont, d'une substance qu'il est possible de récupérer : la **GnRH.**

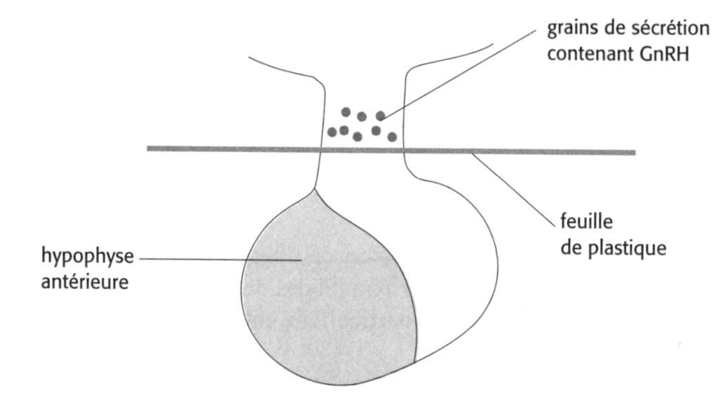

3. Expérience 3 : Culture d'hypophyse

Une antéhypophyse isolée est placée dans un milieu de culture assurant sa survie. Elle ne produit ni FSH ni LH. Si on ajoute les extraits recueillis au niveau de la tige pituitaire dans l'expérience précédente, il y a production de ces deux hormones.

Conclusion des expériences 2 et 3 : l'hypothalamus produit une substance qui stimule l'hypophyse antérieure. C'est la **GnRH,** Gonadotrophine Releasing Hormone, ou hormone de libération des gonadotrophines (c'est-à-dire FSH et LH).

GnRH est produite par des cellules nerveuses spécialisées de l'hypothalamus. Ce sont des neurones contenant un grand nombre de vésicules de GnRH. D'autre part, ces cellules se terminent non pas par des synapses, mais au contact de capillaires sanguins (de la tige pituitaire), où se déverse la substance synthétisée : c'est une **neurosécrétion,** dont la production est une **neurohormone,** substance produite par un neurone particulier et libérée dans le sang, en réponse à une stimulation par des potentiels d'action.

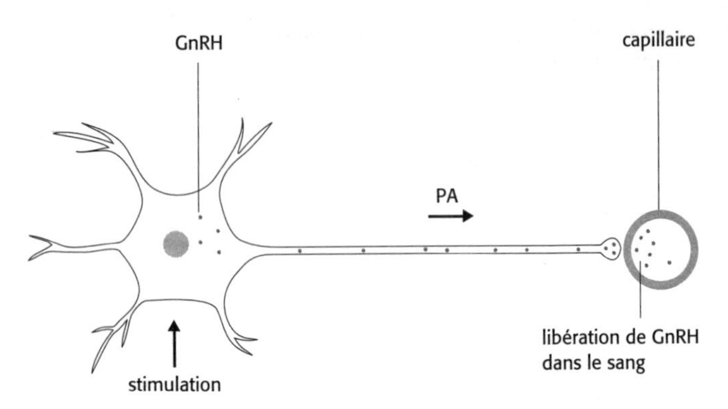

L'action chimique, à courte distance, de l'hypothalamus sur l'antéhypophyse s'explique par la proximité des deux organes et l'existence d'une communication particulière entre eux : le **système porte hypophysaire.**

Un petit vaisseau sanguin relie les deux organes. Il transporte la neurohormone de la tige pituitaire jusqu'à l'antéhypophyse où elle agit sur les cellules productrices de FSH et de LH.

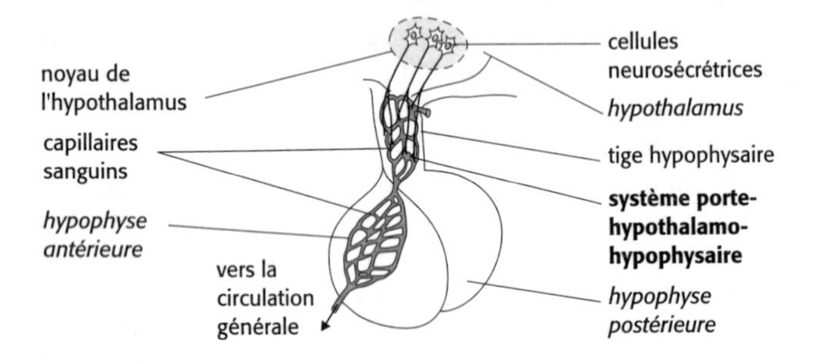

Des mesures ont été réalisées à l'aide d'appareils analysant des microgouttes de sang.

Ils permettent des prélèvements très rapprochés et ont permis de montrer que la production de GnRH n'était pas régulière, mais au contraire **pulsatile,** c'est-à-dire par vagues successives ou **pulses.**

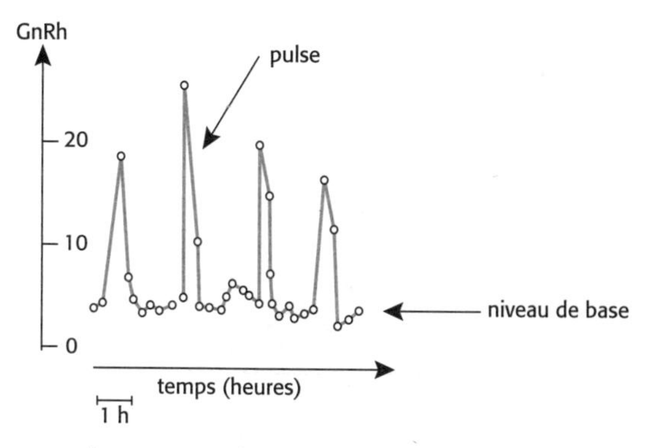

Chaque maximum ou pulse se produit environ toutes les deux heures et dure dix minutes. Il est provoqué par une série de potentiels d'action au niveau des neurones neurosécréteurs.

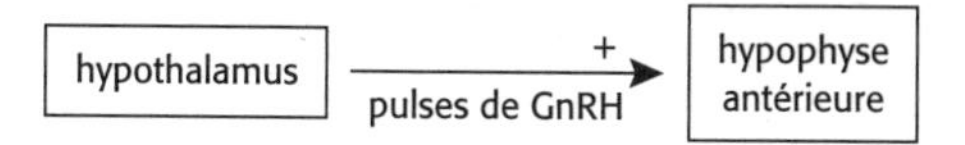

4. Expérience 4 : Contrôle du cycle par l'hypothalamus

Chez une femelle de Mammifère, on détruit totalement la zone productrice de GnRH.
On assiste rapidement à l'arrêt total des productions de FSH et de LH par l'antéhypophyse, et par conséquent, d'œstradiol et de progestérone par les ovaires.
Un mois plus tard, on commence une perfusion de longue durée. On reproduit des **pulses** de GnRH, de façon parfaitement régulière, en injectant, toutes les heures, une dose de GnRH pendant six minutes.
On mesure les taux plasmatiques de LH, FSH, œstradiol et progestérone, pendant toute la durée de l'expérience : les résultats sont résumés sur les graphes de la page suivante.

On voit que, malgré la parfaite régularité des pulses artificiels de GnRH, les taux des hormones hypophysaires et ovariennes suivent un cycle normal et complet. Il y a même ovulation, comme le montre la production de progestérone (issue d'un corps jaune).

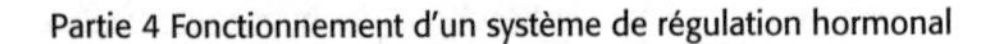

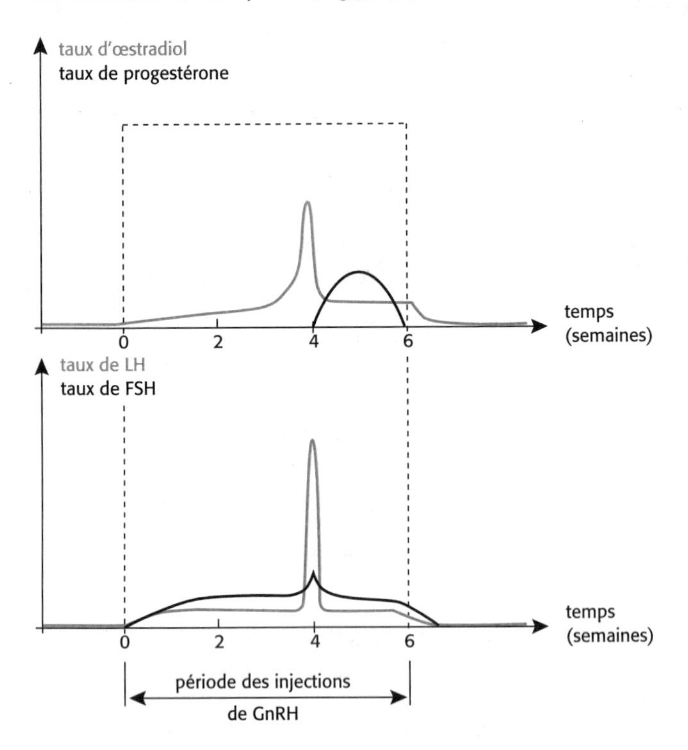

On voit donc bien que le cycle n'est pas imposé par l'hypothalamus, dont le fonctionnement, quoique pulsatile, est très régulier. Le cycle résulte de l'interaction entre l'hypophyse et les ovaires, ces derniers dépendant, pour leur fonctionnement, du temps nécessaire au développement du follicule mûr, puis du corps jaune.

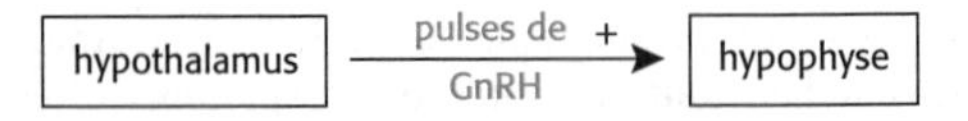

La GnRH produite de façon pulsatile par l'hypothalamus contrôle la production de FSH et de LH.

4 RÉTROCONTRÔLES NÉGATIF ET POSITIF DE L'ACTIVITÉ HYPOTHALAMO-HYPOPHYSAIRE

Les hormones ovariennes agissent sur l'hypophyse et l'hypothalamus, comme le prouvent les expériences suivantes.

A. Rétrocontrôle négatif

1. Expérience 1 : Effets de la castration sur l'hypophyse et l'hypothalamus

Chez une femelle de Mammifère, on réalise l'ablation des ovaires. Les taux de LH et de FSH s'élèvent jusqu'à environ quatre fois leur valeur normale. La fréquence des pulses de GnRH augmente également.
Conclusion de l'expérience 1 : chez un sujet normal, les sécrétions d'hormones ovariennes inhibent les productions de FSH et de LH par l'antéhypophyse et de GnRH par l'hypothalamus : c'est le **rétrocontrôle négatif.**
Chez l'animal castré, l'élévation des taux de LH, de FSH et de GnRH est donc due à la suppression de ce rétrocontrôle négatif que l'ovaire exerçait sur l'hypophyse et l'hypothalamus.

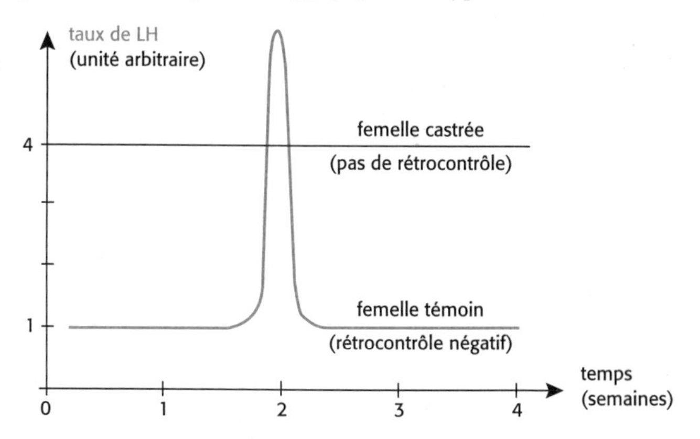

2. Expérience 2 : Mise en évidence des récepteurs

De l'œstradiol marqué au ^{14}C se fixe préférentiellement au niveau de l'hypophyse et de l'hypothalamus, ce qui montre une affinité des cellules de ces deux organes pour l'œstradiol.

Conclusion de l'expérience 2 : il existe des **récepteurs à l'œstradiol** dans les cellules du complexe hypothalamo-hypophysaire.

B. Rétrocontrôle positif

1. Expérience 3 : Déterminisme du pic de LH

Cette expérience est réalisée chez une femelle de Mammifère castrée depuis quelques semaines. La suppression du rétrocontrôle négatif conduit à un taux de LH anormalement élevé.

– Au temps T_1, on commence des injections d'œstradiol : on maintient par un système de perfusion automatique un taux constant pour cette hormone et égal au taux observé normalement en début de cycle. On constate alors une baisse du taux de LH, ce qui est parfaitement en accord avec ce qui précède : c'est l'effet du rétrocontrôle négatif.

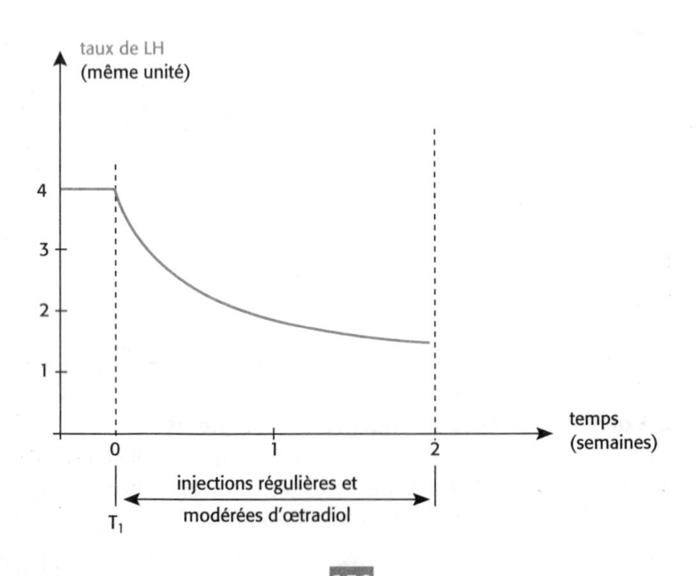

– Au temps T_2, on injecte une forte dose d'œstradiol, environ dix fois supérieure à la dose normale.
On pourrait s'attendre à une nouvelle baisse du taux de LH, mais l'expérience donne le résultat inverse.

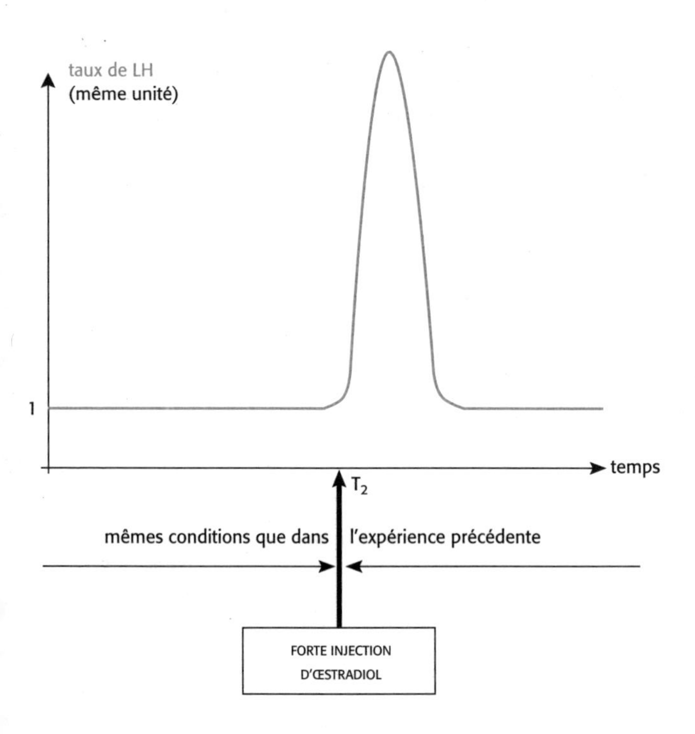

À doses très importantes, l'œstradiol exerce donc un **rétro-contrôle positif,** puisque le taux de LH ne diminue pas, mais au contraire augmente considérablement. Il y a un seuil du taux d'œstradiol qui fait basculer le rétrocontrôle négatif vers un rétro-contrôle positif.
C'est par ce mécanisme que la forte augmentation du taux d'œstradiol à la fin de la phase folliculaire entraîne le pic de LH, lui-même responsable de l'ovulation.

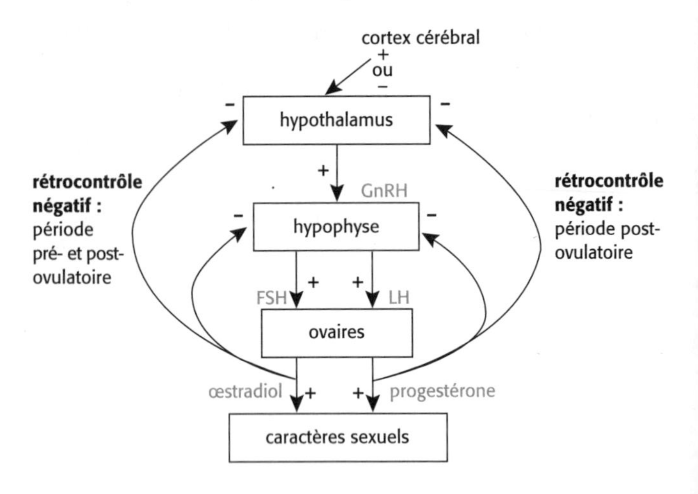

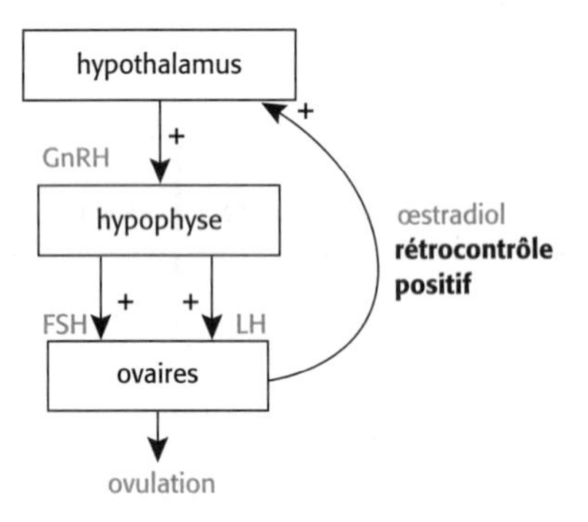

Un rétrocontrôle négatif assure la régulation des taux d'hormones ovariennes, hypophysaires et hypothalamiques pendant presque tout le cycle.

Un bref rétrocontrôle positif apparaissant en fin de première moitié du cycle, entraîne le pic de LH et donc l'ovulation.

5 CARACTÉRISTIQUES DE LA RÉGULATION HORMONALE

Le mécanisme du rétrocontrôle négatif exercé par les ovaires en dehors de la période ovulatoire permet une régulation de l'activité de l'hypophyse, de l'hypothalamus et des ovaires eux-mêmes.

– Une hyperactivité accidentelle des ovaires va produire des quantités anormalement élevées d'œstradiol et de progestérone pendant la période postovulatoire, qui vont inhiber l'hypophyse et l'hypothalamus, ce qui va réduire, en retour, l'activité des ovaires.
– Inversement, une hypoactivité des ovaires va stimuler l'hypophyse et l'hypothalamus par diminution du rétrocontrôle négatif, ce qui va entraîner une stimulation des ovaires.
Les éléments participant à cette régulation du taux des hormones sont :
– des récepteurs sensibles à la présence d'œstradiol et de progestérone : ils sont situés dans les cellules de l'hypophyse antérieure et de l'hypothalamus ;
– une voie afférente très courte puisque l'hypophyse antérieure et l'hypothalamus sont à la fois récepteurs et centres ;
– un centre qui est le complexe hypothalamo-hypophysaire ;
– une voie efférente sous la forme de deux hormones : FSH et LH ;
– l'effecteur est l'ovaire dont les cellules productrices d'hormones sont sensibles à la LH et FSH.

De plus, l'hypothalamus peut subir l'action de facteurs extérieurs par l'intermédiaire d'autres centres de l'encéphale, en particulier, le cortex cérébral.

L'interaction entre tous les organes intervenant dans le fonctionnement de l'appareil génital : caractères sexuels, ovaires, antéhypophyse et hypothalamus, permet un fonctionnement régulé grâce à un système de rétrocontrôle.

RÉGULATION DE LA PRESSION ARTÉRIELLE

Une régulation portant sur un **paramètre** physiologique suppose des **récepteurs** capables d'évaluer ce paramètre, un **centre** intégrant les informations provenant de ces récepteurs, et des **effecteurs** faisant varier le paramètre pour le ramener à une valeur convenable, toujours sous le contrôle des récepteurs. Ces trois éléments du système de régulation communiquent par des voies afférentes et efférentes.
La pression artérielle est très importante pour le bon fonctionnement des organes, et en particulier de l'encéphale et des reins. Sa régulation est donc particulièrement vitale.

1. Régulation à court terme

a. Les récepteurs sensibles à la pression artérielle

Le cœur envoie le sang oxygéné dans tout le corps par l'artère aorte qui se ramifie rapidement en artères plus petites, en particulier en deux artères carotides qui irriguent la tête. Chacune se divise un peu plus haut en deux artères plus petites au niveau des **sinus carotidiens.**

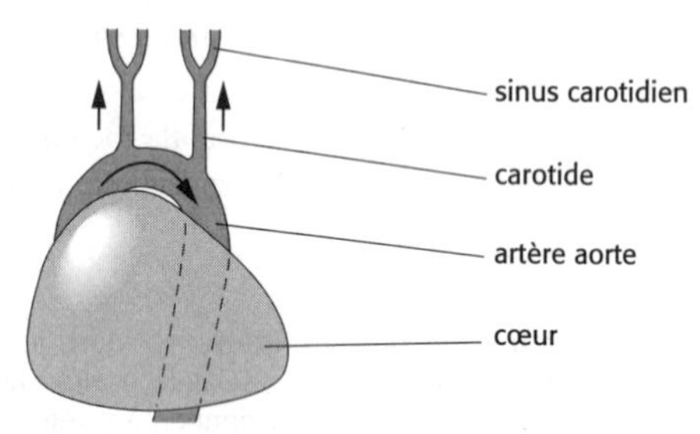

On peut, chez un animal anesthésié, ligaturer les artères de part et d'autre d'un sinus carotidien et y faire varier la pression en y injectant du liquide physiologique à l'aide d'une seringue.
Si on établit une pression inférieure à la moyenne dans le sinus carotidien, on constate immédiatement une augmentation de la pression artérielle dans le reste de l'organisme. Si, au contraire, on fait monter la pression dans le sinus au-dessus de la pression courante, on constate une baisse généralisée de la pression artérielle.

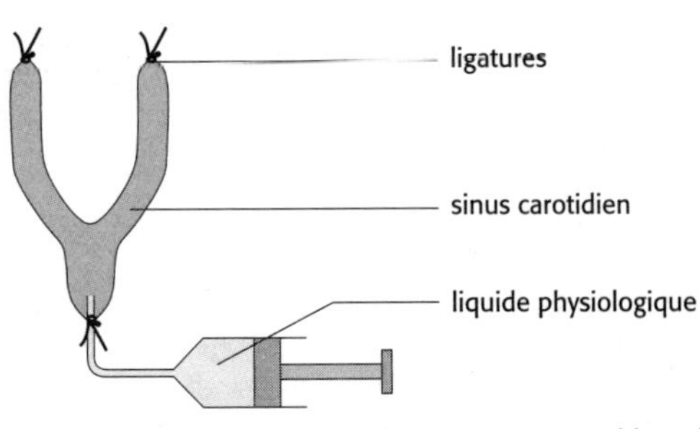

Les sinus carotidiens contiennent donc des récepteurs sensibles à la pression artérielle ou **barocepteurs,** capables de déclencher une réaction de régulation.
Il existe d'autres barocepteurs dans la **crosse de l'aorte,** dont le rôle est similaire à ceux des sinus carotidiens.

b. Les voies afférentes

Des nerfs relient ces zones de récepteurs et les centres nerveux : ce sont les **nerfs de Hering,** qui partent des sinus carotidiens ainsi que le **nerf de Cyon,** qui part de la crosse aortique.
On peut placer une microélectrode dans une fibre d'un nerf de Hering et enregistrer le message nerveux qui la parcourt alors qu'on fait varier la pression dans le sinus carotidien correspondant.

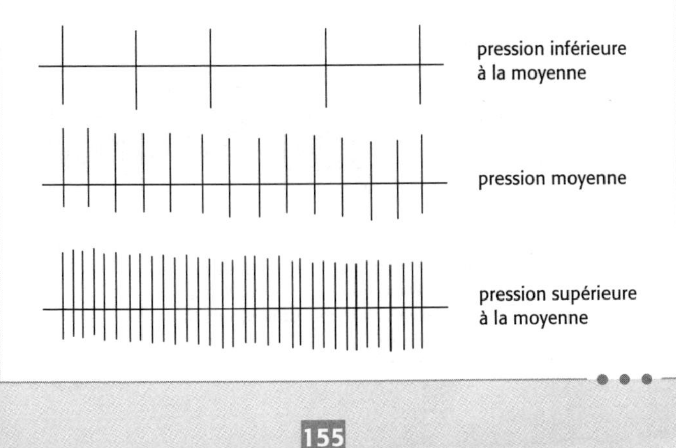

On constate que la fréquence des potentiels d'action afférents dépend directement de la pression dans la sinus carotidien. Ces potentiels d'action, avec leur fréquence caractéristique, constituent donc un **message nerveux afférent** informant le centre nerveux de la pression artérielle.

c. Les centres du bulbe rachidien

Les centres régulateurs de la pression artérielle se trouvent dans le **bulbe rachidien,** qui est la partie postérieure de l'encéphale. Ce centre comprend deux parties qui, stimulées directement, ont des effets antagonistes :
– l'une provoque une baisse de la pression artérielle, elle appartient au **système nerveux parasympathique.** Elle est stimulée lorsque la pression artérielle augmente anormalement ;
– l'autre provoque une augmentation de la pression artérielle, elle appartient au **système nerveux orthosympathique.** Elle est stimulée lorsque la pression artérielle diminue. Le **système nerveux autonome** régit le fonctionnement des organes internes de manière involontaire. Il comprend les systèmes parasympathiques et orthosympathiques, qui sont antagonistes.

d. Les voies efférentes

Des fibres nerveuses efférentes relient les centres bulbaires et les effecteurs. Elles appartiennent également au système nerveux autonome : on trouve des nerfs orthosympathiques et des nerfs parasympathiques comme le nerf vague ou nerf pneumogastrique. Leur stimulation entraîne des variations de la pression artérielle dans des sens opposés :

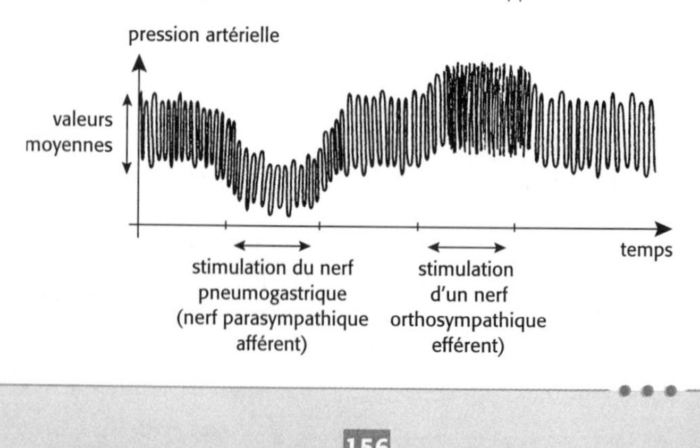

Si on sectionne la totalité des nerfs arrivant au cœur, celui-ci adopte un rythme nettement supérieur au rythme normal au repos (120 battements par minute au lieu de 70). Ceci s'explique par une prédominance au repos du système cardiomodérateur ou « tonus vagal », c'est-à-dire par une activité permanente du nerf vague au repos.

e. Les effecteurs

L'organisme dispose, pour effectuer la régulation de la pression artérielle, de deux moyens :
– au niveau du cœur, un contrôle de l'amplitude et de la fréquence des battements. Une augmentation de ces deux paramètres va augmenter la pression artérielle, une diminution aura l'effet inverse ;
– au niveau des artères, un contrôle de leur diamètre. Une diminution du diamètre artériel va augmenter la pression sanguine, une augmentation du diamètre va, au contraire, la diminuer.

On constate qu'une stimulation du système parasympathique entraîne un ralentissement du rythme cardiaque, une diminution de l'amplitude de chaque battement, et une **vasodilatation,** c'est-à-dire une augmentation du diamètre des artères. Ces trois modifications font diminuer la pression artérielle.

Au contraire, une stimulation du système orthosympathique entraîne une augmentation du rythme cardiaque, une augmentation de l'amplitude des battements, et une **vasoconstriction,** c'est-à-dire une diminution du diamètre des artères, ce qui fait augmenter la pression artérielle.

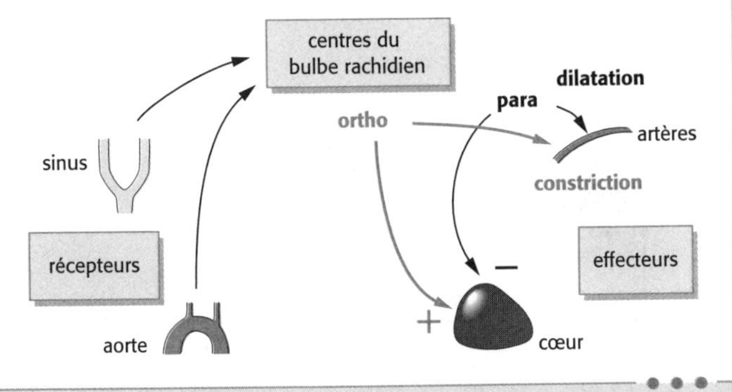

f. Les neurotransmetteurs de la régulation de la pression artérielle

Une stimulation du système parasympathique entraîne la libération d'**acétylcholine** au niveau des synapses nerf-cœur. Ce neurotransmetteur agit normalement de façon locale ; cependant, une injection d'acétylcholine dans la circulation générale entraîne un effet analogue à celui d'une stimulation du système parasympathique.

De la même façon, une stimulation du système orthosympathique déclenche la libération dans la circulation générale d'un autre neurotransmetteur, la **noradrénaline,** au niveau des synapses nerf-cœur. Une injection de substance produit les mêmes effets qu'une stimulation du système orthosympathique.

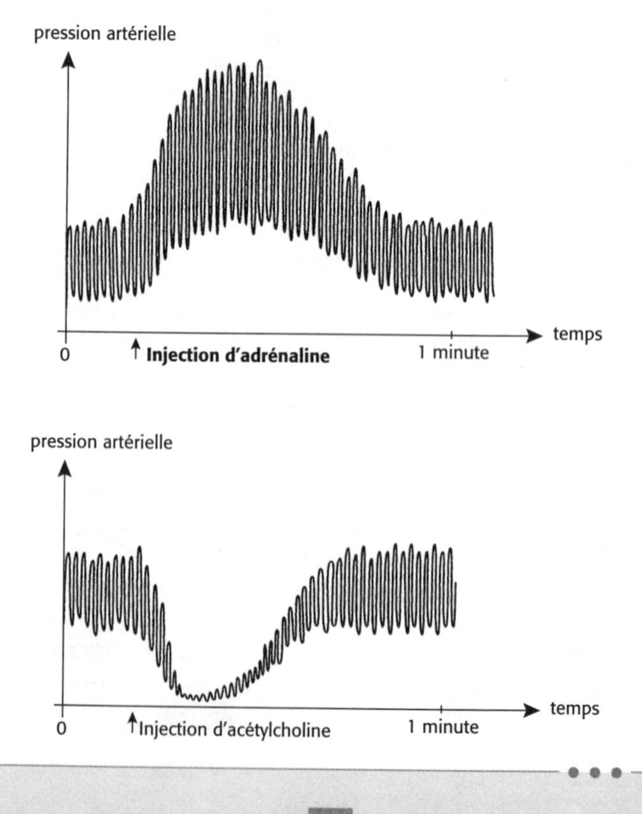

La régulation de la pression artérielle fait intervenir des récepteurs, des fibres afférentes, des centres nerveux, des fibres efférentes et des effecteurs.

2. Régulation à long terme

Cette régulation, au fonctionnement plus lent, agit sur le volume de liquide extracellulaire en contrôlant le fonctionnement des **reins.** Les vaisseaux étant fermés et élastiques, une variation du volume de liquide circulant fera varier la pression artérielle.

a. Régulation de la diurèse

Des récepteurs sont sensibles au volume sanguin (**volocepteurs** de l'oreillette gauche).
Ils sont reliés à un centre encéphalique par des fibres nerveuses afférentes. Une variation du volume sanguin général (sans variation de la concentration plasmatique) fait varier le volume sanguin arrivant dans l'oreillette gauche du cœur et provoque ainsi une stimulation des volocepteurs. Ces volorécepteurs provoquent alors une régulation du volume circulant global par action sur les reins : il y a rétention ou excrétion accrue d'urine, c'est-à-dire variation de la **diurèse** ou débit urinaire.

D'autres récepteurs sont sensibles à la concentration globale en solutés du plasma sanguin (les **osmocepteurs** de l'hypothalamus). Une perfusion de l'hypothalamus avec une solution de concentration inférieure à la concentration normale du plasma entraîne une augmentation de la diurèse.
Au contraire, une perfusion par une solution de concentration excessive, entraîne une diminution de la diurèse. Ces récepteurs permettent donc une régulation du volume sanguin.

L'arrivée d'eau en excédent dans l'organisme, et la dilution des liquides circulants qui l'accompagne, entraîne une augmentation de la diurèse. Au contraire, la perte d'eau (hémorragie) ou la concentration du plasma en solutés (déshydratation) entraîne une diminution de la diurèse.

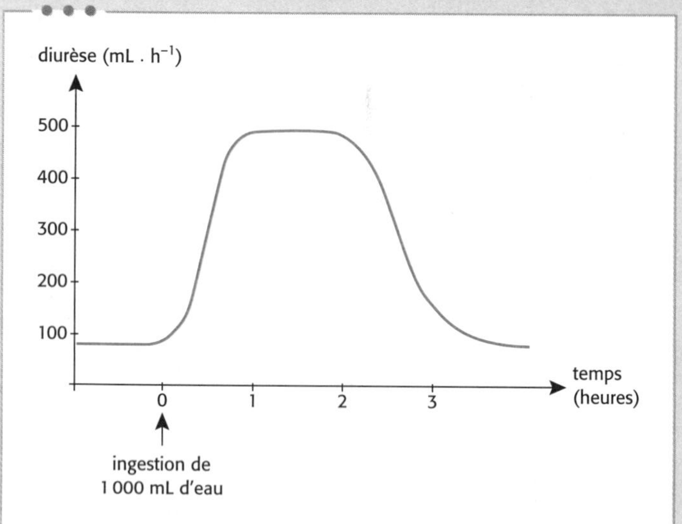

b. L'hypothalamus, centre de contrôle de la diurèse

Des fibres nerveuses relient les volocepteurs de l'oreillette gauche à l'hypothalamus.

Par ailleurs, celui-ci joue également, comme on l'a vu, le rôle de récepteur à la concentration plasmatique.

L'arrivée dans l'hypothalamus d'une solution physiologique dont la dilution est différente de celle du plasma normal, ou de messages nerveux indiquant des variations de volume de l'oreillette gauche, modifient l'activité nerveuse de cellules de l'hypothalamus. Or, ces cellules sont des neurones neurosécréteurs produisant l'**ADH** ou hormone antidiurétique (substance diminuant la diurèse).

c. Régulation par les reins : le système rénine-angiotensine

En cas de baisse de la pression artérielle, les reins produisent une substance, la rénine, qui est responsable de la formation d'angiotensine dans le sang. Cette dernière substance provoque une vasoconstriction et donc élève la pression artérielle.

Variations imposées à l'organisme	Conséquence sur la pression artérielle	Réaction de l'hypothalamus	Modification de la diurèse	Conséquence sur la pression artérielle
– Augmentation du volume sanguin – Diminution de la concentration plasmatique	Augmentation	Diminution de la production d'ADH	Augmentation de la diurèse	Diminution
– Diminution du volume sanguin – Augmentation de la concentration plasmatique	Diminution	Augmentation de la production d'ADH	Diminution de la diurèse	Augmentation

L'hypothalamus contrôle le volume sanguin dont dépend directement la pression artérielle.

12 APPLICATIONS MÉDICALES

point de départ

La connaissance des caractéristiques des sécrétions hormonales de l'appareil reproducteur permet d'intervenir dans un certain nombre de cas, soit pour corriger des troubles de fonctionnement, soit pour assurer une contraception efficace.
Les équilibres hormonaux étudiés dans le chapitre précédent concernent la Femme pendant sa période d'activité ovarienne, c'est-à-dire entre la puberté et la ménopause. Cependant, pendant les périodes de grossesse et d'allaitement, les équilibres sont modifiés de façon importante.

Mots-clés *ocytocine, FIVETE, contraception orale, contragestion*

1 Modification des équilibres hormonaux

- La **puberté** est d'origine hypothalamique : des pulses de GnRH apparaissent, provoquant la formation de FSH et LH, ce qui entraîne le développement des follicules et la sécrétion d'œstradiol. Lorsque le taux de cette dernière est suffisant, il y a pic de LH, donc ovulation ; le corps jaune qui en résulte sécrète alors de la progestérone : les cycles sont mis en place.
- La **ménopause** est d'origine ovarienne : elle correspond à l'épuisement quasi total de la réserve de follicules ovariens.

Dans ce cas, la sécrétion d'hormones ovariennes s'annule malgré une production abondante de FSH et de LH, liée à l'arrêt du rétrocontrôle négatif.

- Au début d'une **grossesse,** l'embryon sécrète une hormone appelée **HCG** qui a les mêmes propriétés que la LH, et qui stimule le corps jaune et la sécrétion de progestérone.
Ceci évite l'arrivée des règles et maintient l'utérus au repos en empêchant les contractions.
Par la suite, l'embryon produit lui-même de la progestérone et de l'œstradiol au niveau du **placenta.**

- L'accouchement est rendu possible par une diminution importante de la production de progestérone qui rend sa mobilité à l'utérus. Celui-ci est stimulé par une autre hormone, posthypophysaire, l'**ocytocine,** qui provoque les contractions de l'accouchement.

- **L'allaitement** est contrôlé par deux hormones hypophysaires : **la prolactine,** responsable de la fabrication de lait par stimulation des cellules des glandes mammaires, et l'**ocytocine** qui provoque l'éjection du lait par contraction de fibres musculaires. La quantité de ces deux hormones est conditionnée par la tétée du nouveau-né lui-même.

Le système hormonal de la Femme s'adapte aux différentes circonstances liées à la reproduction.

2 Reproduction assistée

A. Accouchements sous ocytocine

Il est assez fréquent qu'une Femme ait un accouchement trop long par manque d'énergie des contractions de son utérus. Il est alors intéressant de pouvoir stimuler ce dernier par une perfusion contenant de l'ocytocine, et durant tout le temps de l'accouchement : ceci permet d'obtenir des contractions plus importantes et plus efficaces, et de réduire ainsi la durée de l'accouchement.

Cette technique est la plus souvent associée à une anesthésie péridurale, qui insensibilise la région de l'utérus et rend les contractions indolores.

▶ B. Ovulations provoquées

Certains cas de stérilité féminine sont dus à un pic de LH insuffisant ou inexistant. On peut donc le remplacer partiellement ou totalement par injection de LH.
Cette méthode est très délicate, car elle peut parfois conduire à des ovulations multiples si elle n'est pas parfaitement maîtrisée. Une femme stérile désire des enfants, mais pas forcément des sextuplés !

▶ C. FIVETE

La Fécondation in vitro et la transplantation d'embryons (FIVETE), est une technique permettant à des femmes dont les trompes sont obstruées d'avoir une grossesse (une telle obstruction peut provenir d'une infection génitale parfois ancienne).

- On provoque chez une femme des ovulations multiples (superovulations) par injections de LH. Les ovulations sont repérées à l'échographie, et les ovules sont recueillis.

- Les ovules recueillis sont ensuite fécondés *in vitro,* par des spermatozoïdes du mari. Si le partenaire est lui-même stérile, on peut avoir recours au don de sperme d'un donneur (FAD : fécondation avec donneur).

- Les très jeunes embryons ont alors incubé séparément dans des milieux de culture appropriés.

- Au bout de 48 heures, on replace quelques embryons (en général trois) dans l'utérus de la mère. La **nidation** (implantation de l'embryon dans la paroi de l'utérus) étant délicate, les grossesses multiples sont assez rares. Les embryons surnuméraires sont congelés et peuvent être implantés au cycle suivant en cas d'échec. Cette technique efficace exige une bonne connaissance du cycle hormonal de la Femme.

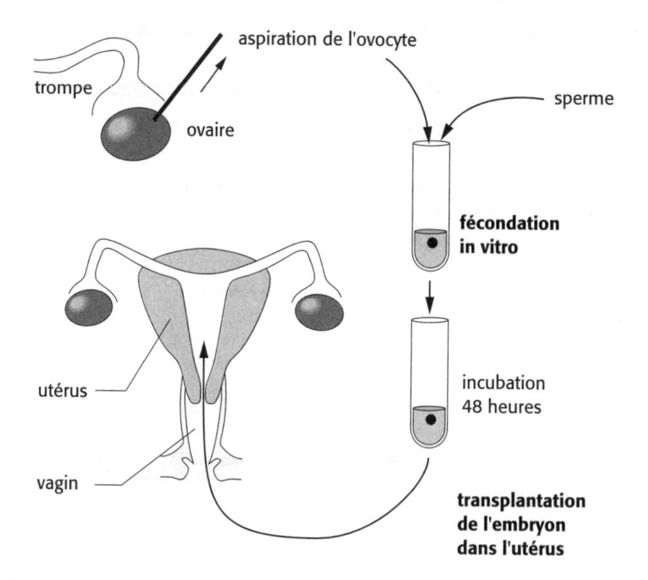

La procréation médicalement assistée s'appuie sur une connaissance approfondie des phénomènes de régulation de la reproduction humaine.

3 Contrôle des grossesses

A. Contraception féminine orale

La **contraception orale,** ou pilule, est actuellement la méthode contraceptive la plus utilisée en France en raison de sa parfaite efficacité. La prise quotidienne d'une pilule œstroprogestative, c'est-à-dire contenant un mélange d'œstrogènes et de progestatifs de synthèse (molécules voisines des molécules naturelles, œstradiol et progestérone) agit au niveau du rétrocontrôle qu'elles perturbent, ces hormones empêchent le pic de LH, et donc l'ovulation.

Ce phénomène se produit naturellement pendant une grossesse : les hormones ovariennes et placentaires (œstradiol et progestérone) bloquant également l'ovulation. La pilule modifie aussi les sécrétions du col de l'utérus (mucus cervical), rendant le passage des spermatozoïdes quasi impossible. La muqueuse interne de l'utérus (endomètre) subit également l'action de ces hormones et devient impropre à la nidation d'un embryon. Cette triple action explique le taux d'échec pratiquement nul de la pilule.

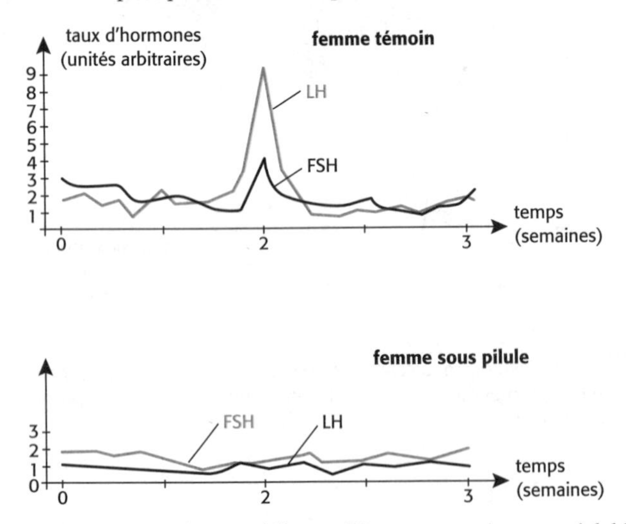

Cependant, cette prise quotidienne d'hormones exige au préalable la recherche d'éventuelles contre-indications ainsi qu'un bon suivi médical pour une surveillance efficace.

B. Les contragestifs

Le RU 486 est une alternative médicamenteuse à l'IVG (Interruption volontaire de grossesse) par aspiration. Cette substance est une molécule de synthèse qui se substitue à la progestérone au niveau des récepteurs cellulaires, sans en avoir les propriétés de contrôle utérin. Les cellules de l'utérus ne détectant plus la progestérone, il y a menstruation et expulsion de l'embryon.

C. Tests de grossesse

Les **tests de grossesse** permettent de détecter la présence d'un embryon dans l'utérus dès qu'un retard de règles est constaté. Leur principe est de déceler l'HCG, hormone produite par l'embryon que l'on retrouve dans l'urine des femmes enceintes. On utilise des anticorps anti-HCG associés à un réactif, qui vont fixer la molécule recherchée et la caractériser par une réaction colorée.

Le contrôle des grossesses (test, contraception, contragestion), s'effectue en agissant au niveau des mécanismes hormonaux de la reproduction.

4 Reproduction et éthique

A. Le don de gamètes ou d'embryons

- L'utilisation de sperme de donneur anonyme, utilisé en insémination artificielle ou pendant une FIVETE, et l'utilisation d'ovules obtenus en cours de FIVETE, peuvent poser des problèmes d'identité à l'enfant qui, devenu adulte, ne pourra pas connaître légalement ses parents génétiques, l'anonymat du donneur étant à la base de l'engagement de l'acte médical. Il y a là un problème de responsabilité morale de la société face à la demande éventuelle de cet individu.
- La FIVETE pose également l'important problème éthique de l'utilisation de nombreux embryons congelés : dans quelle mesure peuvent-ils être utilisés par d'autres couples stériles ? On rejoint le problème précédent, rendu encore plus complexe.

B. Contraceptifs

La contraception pose actuellement peu de problèmes éthiques, sauf celui du refus de la contraception par certaines religions. Ces interdits obligent les couples concernés à rechercher des contraceptions naturelles (méthode des températures, méthode Ogino) dont l'efficacité laisse à désirer.

C. Interruption volontaire de grossesse et contragestifs

L'IVG et les contragestifs (comme le RU 486), c'est-à-dire les techniques n'empêchant pas les fécondations mais entraînant l'élimination précoce d'un embryon, posent le problème de l'existence morale et légale de l'embryon.
Actuellement, la loi fixe à dix semaines de grossesse, la limite légale pour une IVG.

Les applications des connaissances de plus en plus étendues dans le domaine de la reproduction posent des problèmes éthiques importants qui nécessitent une réflexion approfondie.

Prêts pour le bac ?

5 Les hormones sexuelles chez la guenon
(Exploitation des documents)

On cherche à comprendre certains aspects du système de régulation du taux des hormones sexuelles femelles chez les Primates.

Chez les guenons Rhésus normales impubères, on constate que les taux plasmatiques des hormones hypophysaires (FSH et LH) et des hormones ovariennes sont très faibles et constants. Il en est de même chez les guenons Rhésus pubères victimes de lésions hypothalamiques.

Par ailleurs, on réalise l'expérimentation suivante. On injecte dans le système sanguin de guenons Rhésus normales impubères, une substance extraite de l'hypothalamus, la GnRh, dans des conditions adéquates (1 μg par minute, pendant six minutes, chaque heure). On observe, sous l'action du traitement, le déroulement de cycles sexuels. En outre, pendant les 111 jours de l'expérimentation, on dose les taux plasmatiques des hormones hypophysaires et ovariennes.

Les résultats sont traduits par les graphiques du document.

Question : *Exploiter les données et le document fournis, ainsi que les connaissances acquises par ailleurs, afin de présenter avec cohérence le système de régulation du taux des hormones sexuelles femelles et son facteur déclenchant.*

Document

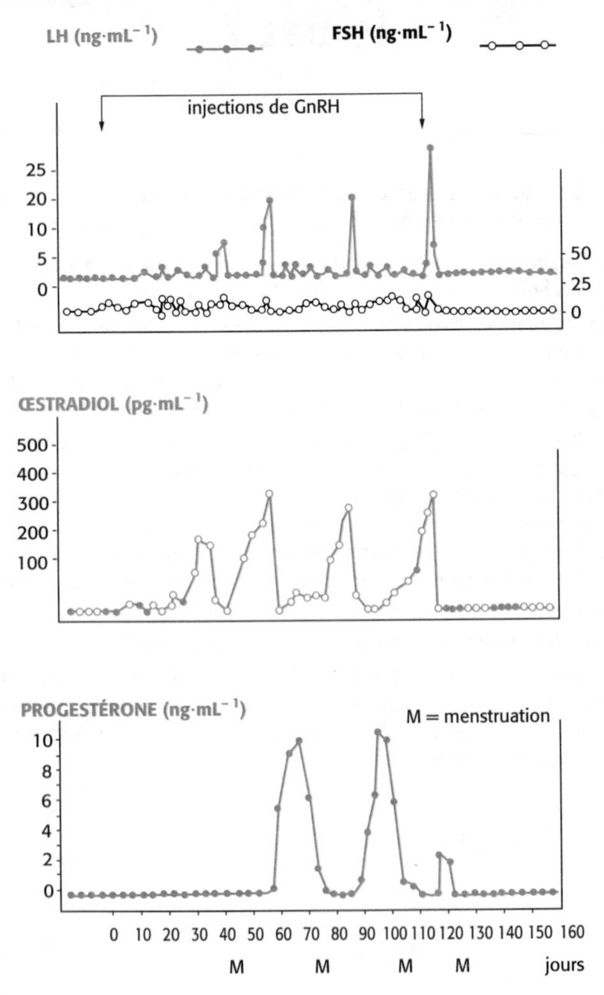
LH (ng·mL⁻¹)
FSH (ng·mL⁻¹)
injections de GnRH
25
20
10
5
0
50
25
0
ŒSTRADIOL (pg·mL⁻¹)
500
400
300
200
100
PROGESTÉRONE (ng·mL⁻¹)
M = menstruation
10
8
6
4
2
0
0 10 20 30 40 50 60 70 80 90 100 110 120 130 140 150 160
M M M M
jours

POUR VOUS GUIDER

L'analyse la plus efficace de ce type de document consiste à l'étudier dans l'ordre chronologique, et à rechercher les relations de cause à effet.

Pendant l'expérience, on administre la GnRH de façon pulsatile, toutes les heures, ce qui correspond à la production physiologique chez un animal pubère. On observe :

– un début de production de FSH par l'antéhypophyse ;

– une activation des follicules et une production d'œstradiol consécutives à la production de FSH ;

– la production de LH commence à son tour ;

– un premier pic d'œstradiol apparaît, à 35 jours, suivi d'un pic de LH (rétrocontrôle positif) mais il n'est pas suivi d'ovulation car il n'y a pas de progestérone, vers 40 jours. C'est un cycle sans ovulation fréquent à la puberté. Il y a quand même menstruation ;

– un deuxième pic d'œstradiol a lieu à 55 jours, suivi d'un pic de LH provoquant une ovulation, comme le montre la production de progestérone ensuite. C'est un cycle complet ;

– un deuxième cycle complet suit, avec une ovulation vers 85 jours ;

– un troisième cycle montre une ovulation vers 110 jours, mais il est interrompu pendant une phase postovulatoire par l'arrêt des perfusions de GnRH.

Cette expérience reproduit le mécanisme de la puberté provoquée par l'hypothalamus qui commence ses pulses de GnRH et qui stimule l'antéhypophyse qui, elle-même, stimule les ovaires.

6 Régulation de la pression artérielle au moment du lever
(Synthèse – spécialité)

L'irrigation correcte des organes (le cerveau, par exemple) demande une régulation de la pression artérielle.

Nous vous proposons d'étudier comment s'effectue cette régulation au moment du lever, lors du passage de la position couchée à la position verticale.

***Question :** À partir des documents proposés, identifier les mécanismes mis en jeu dans cette régulation. Faire figurer ces mécanismes sur le document 4.*

Document 1

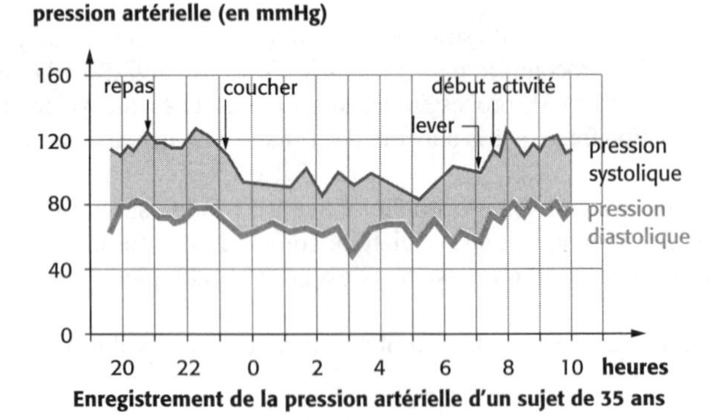

Enregistrement de la pression artérielle d'un sujet de 35 ans

Document 2

Le tableau ci-dessous regroupe les valeurs de pression systolique dans l'artère carotide chez le sujet en position horizontale (0°) et pendant le basculement à + 60°, la tête vers le haut, puis une heure après le basculement.

Position / Vaisseau sanguin	0°	+ 60° immédiat	+ 60° après une heure
Artère carotide	100 mmHg	85 mmHg	110 mmHg

Document 3

Ce document permet de suivre, lors d'une augmentation ou d'une diminution de pression au niveau carotidien :

– les modifications d'état électrique au niveau des fibres issues du sinus carotidien et en même temps au niveau des fibres allant aux artérioles et au cœur (voir document 4) ;

– les modifications de fréquence cardiaque et l'état de contraction des artérioles dont dépend la pression artérielle.

Pression artérielle au niveau de la carotide	Diminuée	Normale	Augmentée
Potentiels d'action enregistrés	message nerveux d'une fibre du nerf de Hering		

	message nerveux d'une fibre du nerf vague		

	message nerveux d'une fibre du sympathique cardiaque		

	message nerveux d'une fibre du sympathique artériolaire		

Fréquence cardiaque	accélérée	normale	ralentie
Puissance des contractions cardiaques	augmentée	normale	diminuée
Vascoconstriction des artérioles	augmentée	normale	diminuée
Puissance artérielle générale après régulation	normale	normale	normale

Document 4

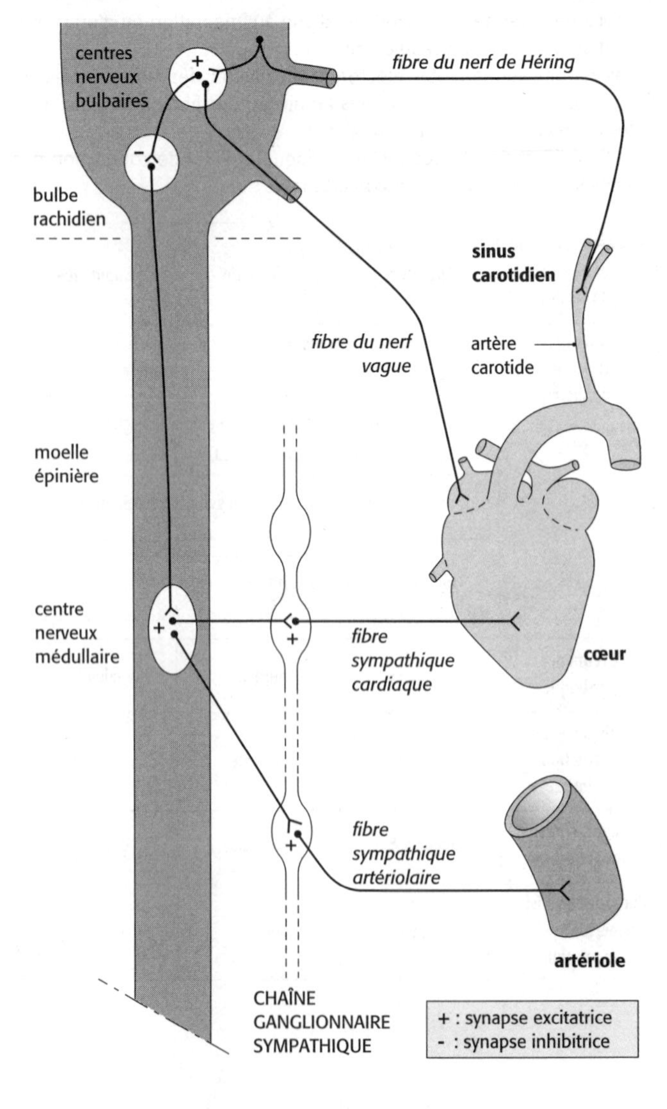
centres
nerveux
bulbaires
fibre du nerf de Héring
bulbe
rachidien
sinus
carotidien
fibre du nerf
vague
artère
carotide
moelle
épinière
centre
nerveux
médullaire
fibre
sympathique
cardiaque
cœur
fibre
sympathique
artériolaire
artériole
CHAÎNE
GANGLIONNAIRE
SYMPATHIQUE
+ : synapse excitatrice
- : synapse inhibitrice

POUR VOUS GUIDER

Le cœur est un organe doué d'automatisme. Cependant, son rythme peut être modifié, ainsi que le diamètre des artères. Ces variations régulent la pression artérielle qui tend à varier selon la position couchée ou debout.

1. Mise en évidence de la régulation de la pression artérielle

Le document 1 montre que la pression artérielle varie très peu au cours d'une journée. Il y a une légère baisse pendant la nuit. La régulation est plus nette dans le document 2 : dans un premier temps, la pression baisse de 100 à 85 mm Hg, car la tête se trouve alors placée au-dessus du cœur alors qu'elle était au même niveau avant. Ensuite, la pression artérielle remonte, ce qui indique un phénomène de régulation.

2. Mécanisme de la régulation de la pression artérielle

– Des récepteurs carotidiens envoient des messages nerveux afférents dans le nerf de Héring où la fréquence des potentiels d'action est fonction de la pression carotidienne.

– Ces messages arrivent aux centres bulbaires qui envoient, à leur tour, des messages nerveux efférents.

	Fréquence des potentiels d'action	**Effets**
Pression faible	Diminue dans le vague, augmente dans les nerfs sympathiques cardiaque et artériel	Augmentation du rythme cardiaque, diminution du diamètre des artères, augmentation de la pression artérielle
Pression forte	Augmente dans le vague, diminue dans les nerfs sympathiques cardiaque et artériel	Diminution du rythme cardiaque, augmentation du diamètre des artères, diminution de la pression artérielle

En conclusion, il est conseillé d'utiliser le schéma avec des flèches de couleurs différentes pour les deux situations physiologiques étudiées, avec des signes + pour les stimulations, et des signes – pour les inhibitions.

Partie 5

Histoire et évolution de la Terre et des êtres vivants

Avant de commencer

QUELQUES RAPPELS SUR LA TERRE

- La Terre fait partie du **système solaire.** Placée à une distance moyenne du Soleil, sa température permet l'existence d'eau sous ses trois états, ce qui semble fondamental dans l'apparition de la vie.

- Le globe terrestre est formé de couches concentriques de plus en plus denses vers l'intérieur : la **croûte,** le **manteau** rocheux, le **noyau externe** liquide et le **noyau interne** solide. La croûte, très fine (35 km), ne figure pas sur le dessin.

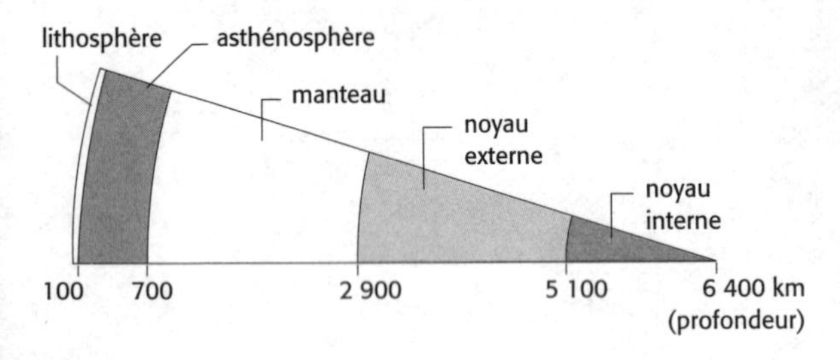

- La **lithosphère** s'organise en **plaques** mobiles qui se forment au niveau des **dorsales** et disparaissent au niveau de zones de **subduction.** Les masses continentales plus légères ne disparaissent pas, mais en se rencontrant, donnent naissance à des **chaînes de montagnes.** La croûte terrestre est formée de roches variées : sédimentaires, magmatiques, métamorphiques.

13
HISTOIRE ET ÉVOLUTION DE LA TERRE

point de départ

Âgée de 4,6 milliards d'années, la Terre est constituée d'atomes encore plus anciens dont l'histoire commence avec celle de l'Univers il y a environ 15 milliards d'années. Depuis près de quatre milliards d'années, des êtres vivants peuplent la surface de la Terre.

Mots-clés *atmosphère, fossiles*

1 PREMIÈRES ÉTAPES DE L'APPARITION DE LA VIE

- Après refroidissement de la surface, la Terre était probablement dépourvue d'atmosphère et d'hydrosphère, car un très fort vent solaire (flux de particules rapides et chargées, issues du jeune Soleil) avait dû les volatiliser et les souffler dans l'espace.

- Une nouvelle enveloppe de fluides s'est ensuite formée, par dégazage de la croûte et du manteau et par arrivée de météorites et de comètes riches en eau et en gaz. Ainsi se sont formés grâce à une température modérée, les **océans** et l'**atmosphère** ; cette dernière était très différente de l'atmosphère actuelle car elle était très riche en dioxyde de carbone et ne contenait pas de dioxygène.

- Dans ces océans, se sont accumulées les molécules qui devaient être, plus tard, à l'origine des êtres vivants. Ces molécules ont pu être apportées par les comètes, formées de poussières interstellaires givrées, ou ont pu se former dans l'atmosphère grâce à l'énergie des rayonnements ultraviolets du Soleil.

● Des expériences apportent des renseignements sur ce qui a pu se produire à cette époque. Au cours de l'une de ces expériences, on enferme dans un ballon de verre stérile et étanche :
– différents gaz, constituants supposés de l'atmosphère prébiotique (avant l'apparition de la vie) : hydrogène, azote, méthane, ammoniac, et dioxyde de carbone ;
– de l'eau qui figure un océan en miniature ;
– des électrodes entre lesquelles des étincelles produites par une tension électrique apportent de l'énergie sous forme de rayons ultraviolets.

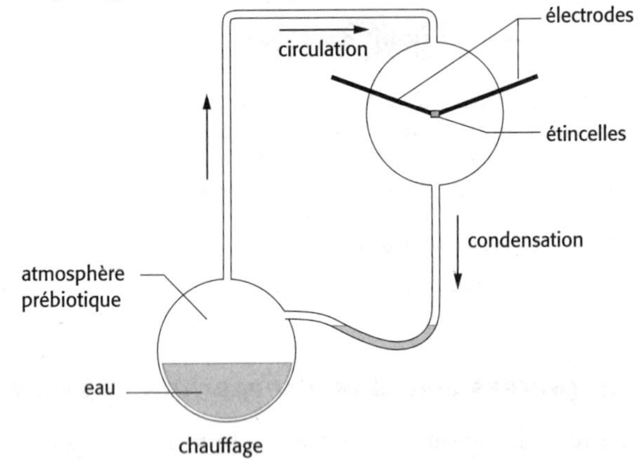

Résultats : au bout de plusieurs jours, l'eau se trouble et devient brune. L'analyse chimique montre qu'elle contient des **glucides,** des **lipides,** des **acides aminés,** des **bases azotées** (constituants de l'ADN et de l'ARN). Dans l'eau, ces molécules ont tendance à se polymériser, formant des protéines primitives. En se groupant, elles peuvent former des gouttelettes (coacervats) capables de grandir et de se diviser. Tout cela sans la moindre intervention d'êtres vivants.

● Le passage de ces structures prébiotiques à de vraies cellules reste encore mystérieux, mais on peut penser que les premières structures biologiques devaient ressembler à des coacervats.
L'apparition des premiers êtres vivants n'a malheureusement pas laissé de traces, mais les plus vieilles roches sédimentaires connues, âgées de 3,6 milliards d'années contiennent de nombreux **fossiles** ressemblant beaucoup à des bactéries.

2 Modifications de l'atmosphère

● L'atmosphère primitive contenait beaucoup de dioxyde de carbone et d'eau, un peu d'azote et pas du tout de dioxygène.
– L'eau s'est condensée pour former les océans.
– Le dioxyde de carbone a précipité en grande partie sous forme de carbonates formant les roches calcaires (calcaire = $CaCO_3$).
– L'azote est resté et forme l'essentiel de l'atmosphère actuelle.
– Le dioxygène est apparu grâce à la photosynthèse, qui commence par la photolyse de l'eau :

$$2\,H_2O \rightarrow O_2 + 4\,H^+ + 4\,e^-$$

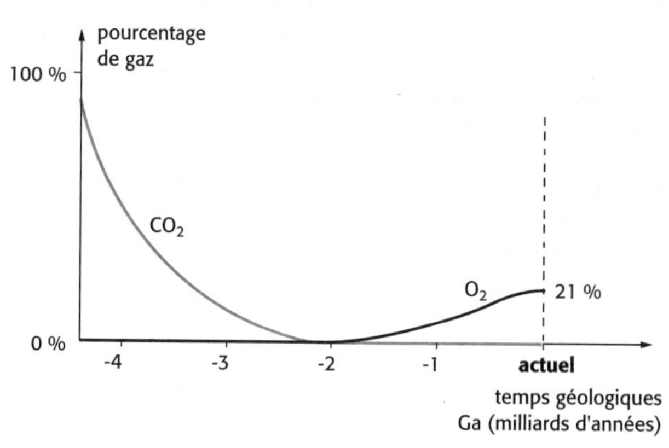

● Pendant les deux premiers milliards d'années (Ga), la teneur en dioxygène atmosphérique est restée nulle, car la biomasse était faible et le dioxygène dégagé se combinait avec des molécules oxydables. Après deux milliards d'années, la teneur en dioxygène augmente progressivement. Le dépôt de fer oxydé (ferrique) à partir de cette époque le montre.

● La teneur actuelle en dioxygène (21 %) est atteinte au cours de l'ère primaire. Cette quantité importante de dioxygène atmosphérique permet la formation d'une couche d'ozone (O_3) dans la haute atmosphère. Cette couche de gaz protège la surface de la Terre des rayons ultraviolets solaires. La vie hors de l'eau devient alors possible et les êtres vivants peuvent peupler les continents.

LES ROCHES, PRODUITS ET TÉMOINS DU TEMPS

Les phénomènes géologiques sont extrêmement lents comparés à la durée de la vie humaine. Ils nécessitent donc un système de repérage particulier, puisqu'en géologie l'unité de temps est le million d'années. L'étude de ces phénomènes géologiques permet de reconstituer une histoire des événements à la surface de la Terre.

1. L'histoire des roches métamorphiques

La formation d'une **chaîne de montagnes,** résultant de la collision entre entre deux masses continentales, est souvent précédée par la **fermeture d'un océan.** Il y a d'abord subduction d'une lithosphère océanique, puis la lithosphère continentale, moins dense, s'engage à son tour dans la subduction.
Cette dernière ne peut pas durer car la densité de cette lithosphère continentale est insuffisante pour qu'elle puisse s'enfoncer dans le manteau. Cela crée donc les conditions de formation d'une chaîne de montagnes : plissements, écaillage donc épaississement de la lithosphère.

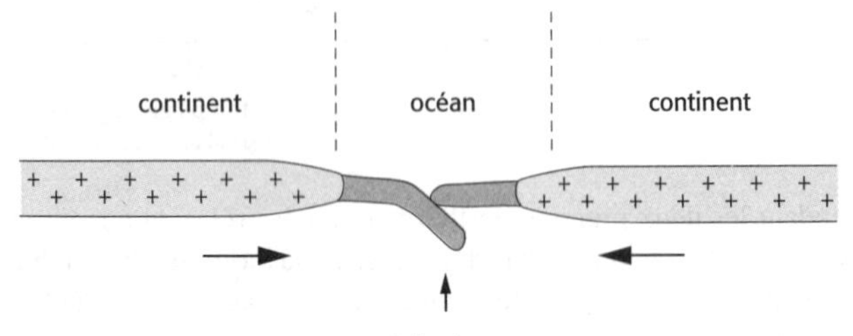

Des roches de surface sédimentaires ou cristallines anciennes se trouvent ainsi plongées à des profondeurs importantes (donc à des températures et pressions très élevées) et soumises à des contraintes énormes (les contraintes provoquent des déformations).
Ces trois facteurs : **température, pression et contraintes** vont provoquer dans les roches enfouies en profondeur, des modifications importantes qui constituent le **métamorphisme.**

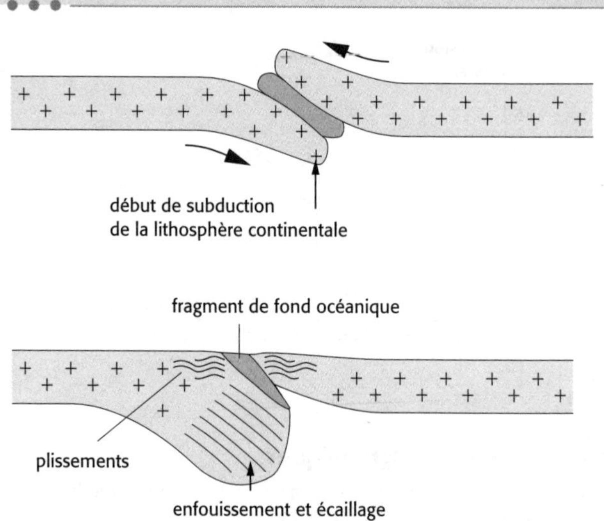

Ces transformations se produisent **à l'état solide.** On observe :
– apparition d'un feuilletage ou **schistosité,** perpendiculaire à la contrainte ;
– apparition de **nouveaux minéraux** soulignant généralement la schistosité.
Il se forme alors des roches comme les gneiss ou les micaschistes, qui constituent l'essentiel de la croûte continentale.
Par la suite, l'érosion fera remonter ces roches à la surface. Seule l'étude des minéraux de métamorphisme permettra de reconstituer l'histoire de ces roches.

Exemple des silicates de métamorphisme : le graphe de la page suivante donne les conditions de température et de pression nécessaires à la formation des minéraux. Ces minéraux sont le disthène, la sillimanite et l'andalousite.

Ce diagramme permet de distinguer trois grandes zones :
– la zone de l'andalousite, caractérisée par une faible pression ;
– la zone de la sillimanite, caractérisée par une température élevée ;
– la zone du disthène, caractérisée par une pression élevée.
On connaît bien d'autres minéraux de métamorphisme qui permettent d'affiner la détermination des conditions de température et de pression régnant au moment de la formation de la roche.

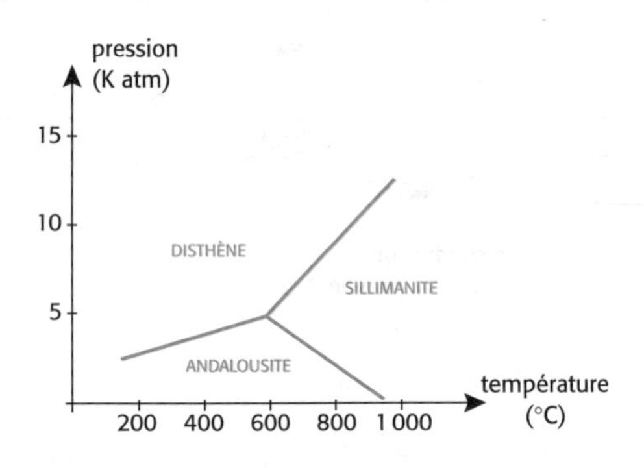

2. Les fossiles stratigraphiques

Il est possible de donner l'âge de certaines roches, par des **méthodes de datation isotopique** : dosage d'un corps radioactif naturel et de l'élément stable qui résulte de sa transformation.

Par exemple, on utilise les dosages des couples uranium/plomb, ou rubidium/strontium.

Connaissant la vitesse de la transformation de l'élément instable en élément stable, on peut connaître l'âge de la roche. Ces méthodes ne sont utilisables que sur des roches cristallines telles des granites ou des roches volcaniques.

Dans un grand nombre de cas, ces méthodes ne sont pas utilisables. On a alors recours à l'étude des **fossiles stratigraphiques.**

Ce sont les fossiles d'êtres vivants ayant subi une évolution nettement visible et bien repérée dans le temps, caractéristique d'une période géologique. Par exemple, les **Ammonites** ont vécu uniquement pendant l'ère secondaire ou Mésozoïque.

Les **Trilobites** caractérisent les terrains de l'ère primaire ou Paléozoïque. Ces grands groupes ont existé pendant des périodes très longues. Par l'étude des espèces, au contraire, on peut déterminer avec une bonne précision des périodes de l'ordre du million d'années. La détermination des **microfossiles** (fossiles microscopiques) est particulièrement commode, car ils se trouvent en très grande quantité, même dans des échantillons de petite taille, comme les carottes de forages.

3. La vitesse des phénomènes géologiques

Comme il est difficile d'évaluer le temps nécessaire à la formation d'une roche ou au déroulement d'un phénomène géologique ancien, on effectue des comparaisons des phénomènes analogues se produisant actuellement. Exemple : la sédimentation dans la baie du Mont-Saint-Michel.

La **sédimentation** est en général un phénomène sous-marin : les sédiments viennent du continent voisin, apportés par les rivières (argiles et sables), ou résultent de l'accumulation de débris de coquilles ou parties minérales d'êtres vivants (calcaire ou silice).

La baie du Mont-Saint-Michel est une zone intéressante car la sédimentation se produit dans la zone des marées ; elle est donc facilement visible.

Lorsque la marée remonte, surtout pendant les vives-eaux, elle forme une vague qui entraîne des particules argileuses et calcaires en suspension, ce qui rend les eaux légèrement boueuses. À marée haute, les eaux calmes décantent et perdent une grande partie de leur charge.

Lorsque la marée redescend, le départ des eaux est très calme, et elles laissent donc une fine couche de sédiments dont l'épaisseur n'excède pas un millimètre.

Ce phénomène répétitif met en place chaque année un million de tonnes de sédiments sur une épaisseur dépassant par endroit dix centimètres. Ces sédiments sont responsables de la remontée du fond, ils menacent de rompre l'insularité du Mont.

14

CHANGEMENTS GÉOLOGIQUES ET BIOSPHÈRE

point de départ

Au cours des temps géologiques, les êtres vivants ont évolué. L'étude de l'évolution des fossiles qu'ils ont laissés permet d'établir une chronologie de l'histoire de la Terre.

Mots-clés *datation, fossiles stratigraphiques, échelle stratigraphique*

1 Modifications des espèces et des groupes

L'étude de la succession des différentes couches de terrains permet d'établir leur ordre chronologique, en partant du principe que lorsque deux couches sont superposées, la plus profonde est la plus ancienne, à condition, bien sûr, que les terrains n'aient pas été retournés au cours d'un plissement. Ce principe de base de la stratigraphie est appelé **principe de superposition.**
L'inventaire des formes de **fossiles** présents dans les roches ainsi repérées chronologiquement, montre que les êtres vivants se modifient au cours du temps : des espèces apparaissent, évoluent puis, éventuellement, disparaissent. Ces périodes d'évolution sont de durée très variable d'une espèce à l'autre, mais toujours très longues à l'échelle humaine : elles se mesurent en millions d'années.

La connaissance de ces périodes permet d'ailleurs d'établir une véritable **datation** des roches contenant des fossiles, ce qui est le cas de presque toutes les roches sédimentaires.
Dans certains niveaux, on assiste à l'**extinction** brutale d'un grand nombre d'espèces, ce qui évoque une cause liée à un cataclysme. Depuis longtemps, les géologues ont repéré ces moments d'extinction massive, et en ont fait les grandes limites de l'échelle des temps géologiques, encore appelée **échelle stratigraphique.**

Ères	Systèmes ou périodes	Âges des limites inférieures en millions d'années
Tertiaire ou Cénozoïque	Néogène	25
	Paléogène	65
Secondaire ou Mésozoïque	Crétacé	140
	Jurassique	200
	Trias	245
Primaire ou Paléozoïque Ordovicien	Permien	280
	Carbonifère	360
	Dévonien	400
	Silurien	435
	Ordovicien	500
	Cambrien	570
Précambien*		4 600

* Le précambrien a connu une histoire biologique et géologique longue et complexe, mais qui a laissé peu de traces en raison de son ancienneté et de la rareté des fossiles qu'on y trouve.

La **limite Permien-Trias,** qui sépare les ères primaire et secondaire, s'est accompagnée de la disparition de 90 % des espèces vivantes. La **limite Crétacé-Paléogène** qui sépare les ères secondaire et tertiaire est marquée par la disparition de 60 % des espèces, aussi bien marines que terrestres.

Les limites des grandes subdivisions des temps géologiques correspondent à des remaniements importants de la faune et de la flore fossiles.

2 CRISES ET COUPURES GÉOLOGIQUES

● Exemple : la crise Crétacé-Paléogène

Cette crise est certainement la plus connue, car elle a été la cause de la disparition des célèbres **Dinosaures,** ces Reptiles géants du secondaire, mais également des **Ammonites,** des **Belemnites** et de la plupart des espèces du plancton marin du Crétacé.

La faune du Crétacé.

Les Dinosaures occupent toutes les niches écologiques.

À la suite de cette catastrophe biologique et écologique, des espèces et des groupes ont survécu, probablement grâce à un très petit nombre d'individus.

C'est le cas des Mammifères, des Oiseaux, de certains Reptiles, des Insectes… mais aussi des Plantes à fleurs.

La faune du paléogène.

Les Mammifères et les Oiseaux prennent la place des Dinosaures.
Dès le début de l'ère tertiaire, on assiste à un foisonnement de ces groupes, dont les espèces se multiplient et se diversifient. Elles ne tardent pas à occuper toutes les **niches écologiques** laissées vacantes par les espèces disparues. C'est probablement l'absence de concurrence qui a stimulé l'évolution des espèces survivantes en laissant libres de nombreuses niches écologiques.

La crise Crétacé-Tertiaire est la plus célèbre des périodes d'extinction d'espèces.

LA CRISE CRÉTACÉ-PALÉOGÈNE, PERCUSSION D'UNE MÉTÉORITE OU ÉRUPTION D'UN VOLCAN ?

Depuis fort longtemps, cette crise intrigue et intéresse les géologues en raison de la **disparition des Dinosaures.** De nombreuses hypothèses ont été émises pour tenter de l'expliquer : changements de climat, variations du niveau de la mer, mais on avait du mal à imaginer que l'ampleur de ces phénomènes pût avoir pour conséquence une disparition aussi massive. Depuis peu, de nouvelles données permettent de construire de nouvelles hypothèses.

Il existe sur Terre de nombreux endroits où l'on peut observer la limite Crétacé-Tertiaire, généralement matérialisée par une fine couche d'argile. Des analyses chimiques ont montré que cette limite est particulièrement riche en **iridium,** atome assez rare dans la croûte terrestre.

Deux hypothèses ont été émises pour expliquer cette anomalie et la crise biologique.

1. Première hypothèse

On connaît des **météorites** riches en iridium. On a donc pensé qu'une météorite d'une dizaine de kilomètres de diamètre aurait pu percuter la Terre, il y a 65 millions d'années, c'est-à-dire à la fin du Crétacé. L'étude de la répartition des cratères d'impact sur la Lune a montré que ce type de cataclysme peut se produire sur Terre tous les 150 à 200 millions d'années. On a, de plus, trouvé au Mexique la trace d'un cratère météoritique de 250 km de diamètre.

Cette collision aurait soulevé une telle quantité de **poussières** dans l'atmosphère, qu'elle aurait provoqué une période **obscure** et **froide** de plusieurs mois ou années, arrêtant la photosynthèse des végétaux terrestres et aquatiques, et faisant mourir la plupart des animaux de froid et de faim.

2. Seconde hypothèse

En Inde, dans la région du **Deccan,** existe une formation volcanique (*trapps,* c'est-à-dire formations géologiques en escalier) sans commune mesure avec les volcans habituels. Alors que les plus importants d'entre-eux ne libèrent que quelques km^3 de lave (10 km^3 correspond déjà à une énorme éruption), les trapps du Deccan, formés de basalte, recouvrent une surface aussi grande que la France sur plusieurs kilomètres

• • •

d'épaisseur, ce qui représente au moins un million de km^3. On sait d'ailleurs que cette éruption fabuleuse s'est produite au moment de l'ouverture du **point chaud de la Réunion,** à une époque où le continent indien était au-dessus. De plus, les datations indiquent qu'elle s'est produite justement à la limite Crétacé-Tertiaire ; or, on sait que les poussières volcaniques sont souvent riches en iridium. L'éruption aurait pu produire de grandes quantités de **poussières** avec les mêmes conséquences que celles vues précédemment, mais probablement étalées sur une plus longue période. De plus, la libération dans l'atmosphère de quantités énormes de dioxyde de soufre (SO_2) qui se transforment ensuite en acide sulfurique (H_2SO_4) a pu provoquer des pluies acides catastrophiques pour les êtres vivants.

3. Discussion

Deux découvertes récentes renforcent l'hypothèse météoritique :
– la limite Crétacé-Tertiaire contient des grains de **quartz choqués,** c'est-à-dire portant les marques visibles au microscope électronique d'un choc extrêmement violent, comme on en trouve dans les cratères d'impact des météorites. Ces quartz choqués auraient donc fait partie des poussières soulevées par la météorite ;
– la limite Crétacé-Tertiaire contient également un **oxyde de fer** particulier, formé dans une atmosphère riche en oxygène et à haute température. Cet oxyde est caractéristique des météorites riches en fer et ayant chauffé en entrant dans l'atmosphère terrestre.
Par ailleurs, l'âge des trapps du Deccan correspond parfaitement à la limite Crétacé-Tertiaire : les éruptions catastrophiques ont donc bien eu lieu et il est troublant de constater que la grande crise à la limite du Primaire et du Secondaire est aussi accompagnée de trapps situés dans le Nord sibérien, et qui correspondraient également à l'ouverture d'un point chaud, actuellement sous l'île de Jan Mayen. Deux coïncidences paraîtraient vraiment trop improbables.
On voit que les deux hypothèses sont soutenues par des arguments solides. Seules des recherches plus approfondies permettront de déterminer l'exactitude de l'une... ou celle des deux car il n'est pas exclu que les deux événements aient eu lieu en même temps. Certains géologues pensent même que la chute de la météorite aurait pu déclencher, par son onde de choc, l'éruption du Deccan. Mais ceci n'est actuellement que du domaine de l'hypothèse.

15 L'ÉVOLUTION DE LA VIE

point de départ

À partir d'êtres microscopiques unicellulaires, la vie a évolué en donnant des organismes complexes qui ont colonisé tous les milieux de la planète. À l'aide de méthodes très variées, les géologues et les biologistes recherchent les mécanismes mis en œuvre.

Mots-clés *allèle, espèce, évolution, gène, mutation, phylogénie, population, sélection naturelle, spéciation*

1 Relations de parenté entre les êtres vivants

A. Diversité des êtres vivants

La **biodiversité** caractérise non seulement le monde vivant actuel mais aussi les flores et faunes disparues comme le montrent les fossiles. Des écosystèmes très différents se sont relayés au cours des temps géologiques, la plupart des espèces n'ayant vécu que pendant une certaine période géologique.
Par exemple, de nombreuses espèces de Trilobites ont vécu durant l'ère primaire, chacune pendant un ou quelques millions d'années (seulement !) avant de disparaître. Il en est de même des Ammonites de l'ère secondaire.
À l'échelle des temps géologiques, les faunes et les flores ont donc évolué.

B. Ressemblances entre les êtres vivants

On observe que des **organismes** appartenant à des groupes différents ont un plan d'organisation commun, ce qui suggère **un lien de parenté.** Ainsi, chez tous les groupes de Vertébrés : Poissons, Amphibiens, Reptiles, Oiseaux et Mammifères, les grandes lignes du squelette, organisé autour de la colonne vertébrale, sont les mêmes ; l'encéphale a toujours cinq parties, les cavités du cœur se ressemblent. Les embryons de tous les Vertébrés ont la même forme allongée, la même ébauche de colonne vertébrale avec un tube nerveux au-dessus et un tube digestif au-dessous, les mêmes fentes branchiales, bien que, chez les Vertébrés terrestres, elles ne servent jamais à la respiration.

Les **cellules** sont l'unité de construction de tous les êtres vivants. Elles comprennent, dans tous les cas, un cytoplasme et un ou plusieurs chromosomes. Les cellules d'eucaryotes (animaux et végétaux) ont un noyau, celles des procaryotes (bactéries) n'en ont pas.
Les ressemblances entre les **molécules** sont encore plus grandes. Les mêmes acides aminés constituent les protéines, les mêmes bases caractérisent l'ADN et l'ARN. Le code génétique (voir tableau, page 18) est le même pour la plupart des formes de vie connues actuellement. L'ATP est la molécule énergétique commune à toutes les cellules.

Des ressemblances entre des espèces fossiles sont également mises en évidence, ainsi qu'entre fossiles et espèces actuelles, suggérant des liens de parenté.
Comment expliquer à la fois la biodiversité et les ressemblances entre les êtres vivants actuels, ainsi que l'évolution des faunes et des flores ?

C. L'explication des faits

Les espèces se transforment et donnent naissance à de nouvelles espèces.
L'évolution implique que les espèces actuelles dérivent d'ancêtres communs plus ou moins éloignés dans le temps. Toutes les espèces actuelles doivent donc avoir une origine commune. Les espèces se relaient au cours des temps géologiques.

Le schéma suivant donne une image de l'évolution, explication cohérente à tous les constats effectués précédemment : mêmes constituants chimiques, similitudes des plans d'organisation, formes passées différentes, biodiversité.

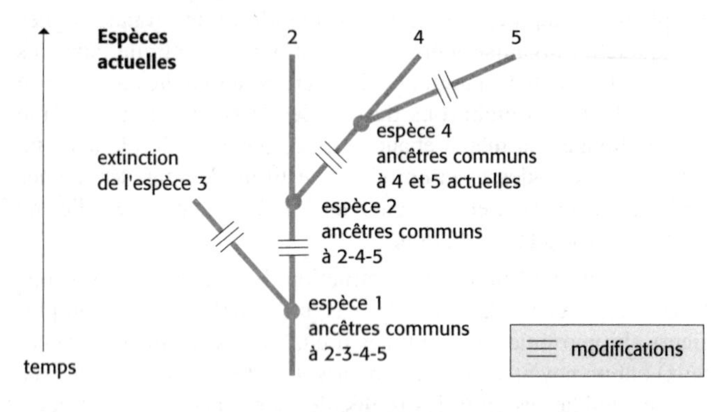

D. L'établissement de phylogénies

- Notion historique, la **phylogénie** est l'enchaînement d'espèces au cours du temps. La recherche de liens de parenté s'effectue à partir d'un nombre limité d'espèces. Les comparaisons ne concernent qu'un petit nombre de caractères, soit morphologiques, donc applicables aux fossiles, soit anatomiques ou moléculaires. Les données sont exploitées pour la construction d'un arbre phylogénétique hypothétique, comme le montre cet exemple théorique.

- Les 3 espèces XYZ sont étudiées pour 4 caractères A B C D pouvant se présenter chacun sous deux états, figurés en noir et bleu. Les données de départ sont donc les caractéristiques observées pour chaque espèce :

X ABCD
Y ABCD
Z ABCD

On reporte sur un tableau le nombre de caractères différents entre les espèces prises deux à deux, par exemple 3 pour X et Z qui n'ont que D en commun.

X			
Y	2		
Z	3	1	
	X	Y	Z

On exploite les données du tableau.
Z et Y n'ayant qu'une différence doivent être proches parents et on peut imaginer qu'ils descendent d'un ancêtre qui avait les 3 caractères qu'ils ont en commun. X est plus proche de Y que de Z. Plusieurs constructions phylogénétiques sont alors possibles à partir de ces données.
Celle qui est proposée ici fait intervenir un minimum de changements au cours du temps, ce qui la rend plus probable que d'autres. L'ancêtre commun est cependant hypothétique.

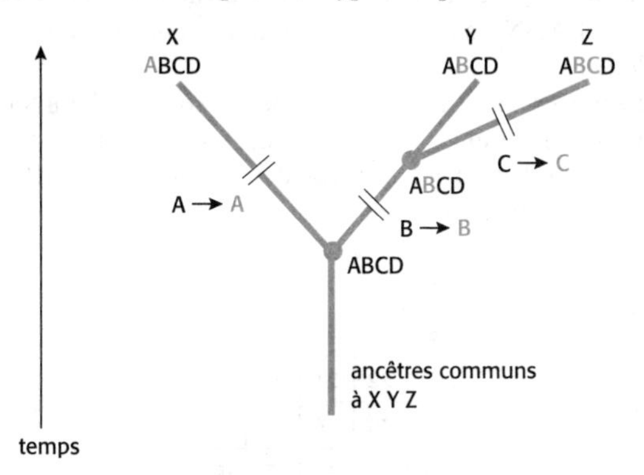

● L'exemple suivant applique ce principe à partir d'une comparaison de molécules.
Les protéines et l'ADN, molécules séquencées, permettent des comparaisons précises lorsqu'elles existent sous des formes voisines chez plusieurs espèces (molécules homologues). La myoglobine, qui intervient dans la respiration cellulaire, est une protéine composée de 145 acides aminés.
Le tableau comparatif suivant se limite à une petite partie de la molécule.

Les acides aminés sont représentés par les deux premières lettres de leur nom (voir tableau, page 18). Les espèces sont dans l'ordre alphabétique.

Comparaison 2 à 2

Chien, C	LE	AS	IS	TR	GL	une différence
Homme, H	LE	AS	VA	TR	GL	même séquence
Macaque, M	LE	AS	VA	TR	GL	deux différences
Poule, P	LE	TH	IS	TR	GL	

Les différences de séquence sont la traduction de différences de code génétique. Un changement d'acide aminé s'explique par une substitution de base de l'ADN. On pourrait donc comparer les séquences d'ADN, mais l'analyse de la protéine est plus facile et équivalente.
Les différences entre les quatre espèces sont évidemment plus nombreuses si on analyse la molécule entière, et, au total, on trouve, en comparant les espèces deux à deux, les différences notées dans le tableau suivant.

H				
M	7			
C	22	21		
P	39	36	32	
	H	M	C	P

L'arbre phylogénétique suivant peut alors être proposé, en accord avec les données anatomiques : une branche pour les Oiseaux, une autre pour les Mammifères, proximité des deux Primates.

L'évolution rend compte à la fois de l'unité du monde vivant et de sa diversité. Des données morphologiques, anatomiques et moléculaires permettent d'établir des liens de parenté entre les espèces.

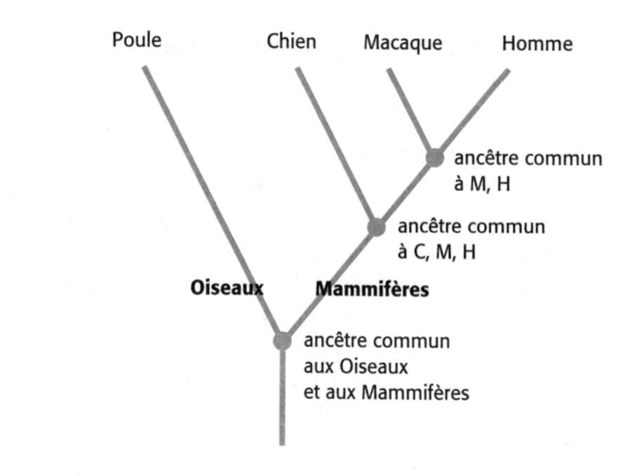

E. Espèce et évolution

- L'espèce est l'unité de base de la classification des êtres vivants. Tous les Hommes appartiennent à l'espèce *Homo sapiens,* mais beaucoup de noms d'animaux et de plantes désignent un ensemble d'espèces. C'est le cas pour le Requin : Requin blanc, Requin marteau, Requin scie…

Il en va de même pour Rat, Souris, Orchidée…

- Deux individus appartiennent à la même espèce s'ils sont interféconds et si leurs descendants sont féconds.

L'espèce est une unité génétique, caractérisée par un ensemble de gènes et d'allèles.

- Les individus d'une espèce qui peuplent le même milieu constituent une population (voir page 41).

C'est au sein des populations que s'effectuent les changements permettant l'évolution.

- La spéciation est la formation d'une nouvelle espèce issue d'une espèce ancestrale.

La phylogénie reconstitue l'histoire des spéciations successives.
Biodiversité : actuellement, on recense plus de 2 millions d'espèces et on estime que 10 millions restent à découvrir.

2 Mécanismes de l'évolution

A. L'innovation au niveau des gènes

1. De nouveaux allèles

Accidents survenus lors des duplications d'ADN, les mutations géniques jouent un rôle fondamental puisqu'elles modifient l'information génétique. Il existe plusieurs types de mutations, mais dans tous les cas, la séquence d'ADN est modifiée (voir page 17).
Certaines mutations sont sans conséquence pour l'individu ; d'autres, même réduites à une seule base, modifient le phénotype, comme le montre l'exemple de la drépanocytose exposé page 19.
Les mutations interviennent au hasard, avec une faible fréquence. Cependant, certains facteurs physiques ou chimiques de l'environnement augmentent leur probabilité, comme des rayonnements ou des substances chimiques respirées ou ingérées.
La reproduction sexuée transmet les nouveaux allèles par l'intermédiaire des gamètes. Le brassage chromosomique, intra- et inter-, crée de nouvelles associations d'allèles. La diversité génétique de l'espèce augmente, et par conséquent, la diversité des phénotypes exprimés.

2. De nouveaux gènes

Au cours des temps géologiques, depuis les êtres unicellulaires jusqu'aux Vertébrés, la vie a évolué vers la complexité. Il y a donc eu de plus en plus d'information génétique, ce que ne peut réaliser seulement la création de nouveaux allèles : de nouveaux gènes sont apparus. Le mécanisme supposé met en œuvre successivement deux transformations de l'ADN qui peuvent être éloignées l'une de l'autre dans le temps.

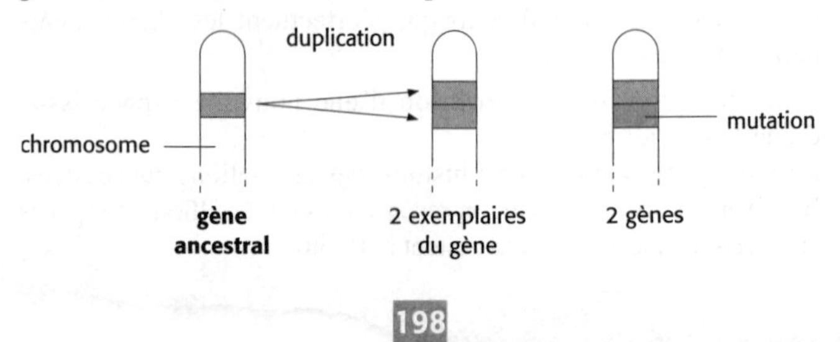

● **Premier temps :** la **duplication** d'un gène produit une copie, les deux séquences jumelles étant situées à la suite l'une de l'autre sur le chromosome. Le mécanisme est mal connu. Un *crossing-over* inégal pourrait intervenir lors d'une méiose en plaçant, sur la même chromatide, deux allèles qui auraient dû être échangés. Les deux copies sont transmises de génération en génération, l'une d'elle s'exprimant, l'autre étant seulement présente, comme si elle était « en réserve ».

● **Deuxième temps :** une des copies du gène est affectée par une **mutation** modifiant son information génétique. Une nouvelle possibilité de synthèse peut alors être acquise, tandis que le gène primitif continue à coder pour la protéine d'origine. Il y a, dès lors, deux locus occupés par deux gènes, à ne pas confondre avec les deux allèles d'un gène ; la recombinaison génétique d'ailleurs est possible entre les deux.
Ou bien le nouveau gène ne correspond à aucune fonction particulière, ou bien il code pour une protéine intervenant dans une nouvelle fonction, ou même dans le développement de l'organisme, ce qui est important dans l'optique de l'évolution.
Par le double mécanisme de duplication-mutation, ce sont plusieurs gènes issus d'un seul qui peuvent se côtoyer sur un chromosome, formant une famille de gènes. On les repère à leurs séquences d'ADN voisines, différant seulement par quelques substitutions de bases. C'est le cas des gènes codant pour les deux hormones hypophysaires LH et FSH, qui doivent donc dériver d'un gène ancestral.
Les nouveaux gènes peuvent muter, et la reproduction sexuée répartit les allèles de façon aléatoire de génération en génération ; de nouveaux phénotypes sont réalisés au sein de l'espèce, plus ou moins favorables au milieu de vie.

3. La sélection naturelle au sein de l'espèce

Certains individus d'une population sont plus aptes à survivre, leur génotype et donc leur phénotype permettant une bonne adaptation au milieu de vie. Comme ils ont plus de chance de se reproduire que les autres, les allèles « favorables » sont transmis aux descendants.

Cette **sélection naturelle** augmente la fréquence de certains allèles tandis que d'autres sont rares dans la population. L'exemple de la **drépanocytose,** exposé page 19, explique pourquoi le génotype hétérozygote A/S est favorable dans certaines zones géographiques, ce qui augmente la fréquence de l'allèle S, pourtant déficient, par rapport aux autres régions.
Si le milieu change, cela ne modifie rien pour les allèles issus de mutations neutres, ni avantageuses ni désavantageuses. En revanche, il peut y avoir un renversement de situation pour les allèles auparavant favorables ou non. Des allèles qui étaient minoritaires, peuvent être sélectionnés. Il faut bien noter que les allèles permettant une bonne adaptation existent avant que la population ne vive dans un milieu donné, comme le montre l'exemple de petits Papillons de nuit, les **Phalènes du bouleau,** particulièrement bien étudiés dans la région anglaise de Manchester.

- **1850 :** les Phalènes sont presque toutes claires, quelques-unes ont les ailes sombres. Les unes et les autres sont au repos, le jour, sur les troncs des bouleaux, tapissés de lichens gris clair. Les principaux prédateurs sont des Oiseaux insectivores.

- **1950 :** les Phalènes sombres sont les plus nombreuses. La pollution industrielle a fait disparaître les lichens, les troncs sont noircis. Les Oiseaux prédateurs sont toujours là.

Les observations sur le terrain et les expériences menées avec des cages reconstituant les deux cadres de vie ont permis une explication reposant sur le principe de la sélection naturelle, l'essentiel étant schématisé ci-dessous :

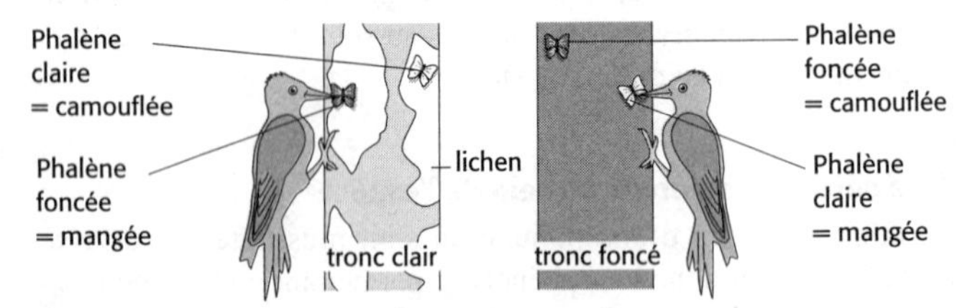

Cette situation exemplaire montre que, selon le milieu, ce ne sont pas les mêmes génotypes qui sont favorisés. C'est la fréquence de certains allèles qui change, les gènes sont toujours les mêmes (plusieurs gènes interviennent dans la pigmentation). Il n'y a pas changement d'espèce mais de variété.

Les allèles favorables pour un environnement donné préexistent à cet environnement. Les porteurs de génotypes défavorables à une époque, sont très importants pour l'avenir de l'espèce. Sans eux, cette espèce risquerait de disparaître lors de changements de conditions de vie. L'hétérogénéité génétique donne plus de chance de survie à une espèce que l'homogénéité des génotypes.

B. La spéciation

C'est la naissance d'espèces nouvelles à partir d'une espèce mère. Dans un premier temps, certains individus se trouvent **isolés** de la population à laquelle ils appartenaient. Les échanges d'allèles au cours de la reproduction s'effectuent alors dans deux groupes séparés. Diverses raisons entrent en jeu : allèles différents au départ, influence du milieu et sélection naturelle, les divergences génétiques entre les deux groupes augmentent avec le temps (voir la génétique des populations, page 41). Si, à terme, les deux populations ne sont plus interfécondes, les individus appartiennent alors à deux espèces.

La variation génétique, aléatoire, et la sélection naturelle, liée au milieu de vie, sont le moteur principal de l'évolution des êtres vivants.

16
LA LIGNÉE HUMAINE

point de départ

Les fossiles et la biologie des Primates actuels permettent de remonter le temps et de comprendre comment s'est réalisée **l'hominisation,** acquisition progressive des caractères humains.

Mots-clés *Australopithèque, hominisation,* Homo erectus, Homo habilis, Homo sapiens

1 L'HOMINISATION

Des plus anciens aux plus récents, les Hommes fossiles ressemblent de moins en moins aux Singes et de plus en plus aux Hommes actuels. La comparaison, entre les Singes actuels et l'Homme fournit des points de repères pour suivre l'évolution progressive de la lignée humaine. Le crâne est la partie la plus informative des restes osseux. On distingue dans la lignée humaine quatre grandes étapes (Australopithèque, *Homo habilis, Homo erectus, Homo sapiens*).

Chimpanzé

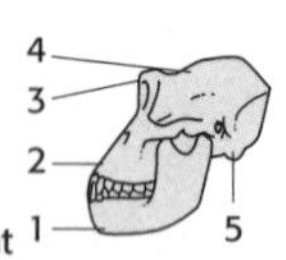

1 menton fuyant
2 museau
3 bourrelet sus-orbitaire
4 front fuyant
5 trou occipital en arrière

Homme

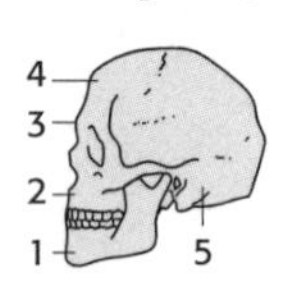

1 menton droit
2 face plate
3 arcade sourcilière peu marquée
4 grand front
5 trou occipital central

1. Les Australopithèques

Australopithèque de l'Afar

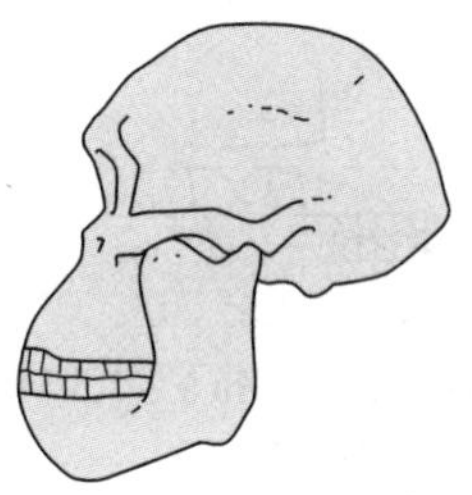

- **Époque :** de – 5 Ma à – 3 Ma
- **Région :** Afrique
- **Taille :** 120 cm
- **Volume encéphalique :** 400 cm^3, voisin de celui du Chimpanzé
- **Outils :** néant ou inconnus ?

Remarques

Premiers Hominidés, ils sont caractérisés par leur position érigée et leur bipédie. En Éthiopie, on a découvert le squelette de Lucy, jeune femme qui vivait il y a 3,5 millions d'années. Pour certains, ces Australopithèques sont nos ancêtres, hypothèse non acceptable pour d'autres qui les situent sur une autre branche de l'arbre phylogénétique.

Il y a eu d'autres Australopithèques. Le type A robuste, plus récent, s'est éteint il y a 1 million d'années.

On peut donc commencer à remplir les tableaux de l'hominisation (se lit de bas en haut) :

	Physique	Comportement
Homo sapiens		
Homo erectus		
Homo habilis		
Australopithèque	**Bipédie**	**?**

2. *Homo habilis*

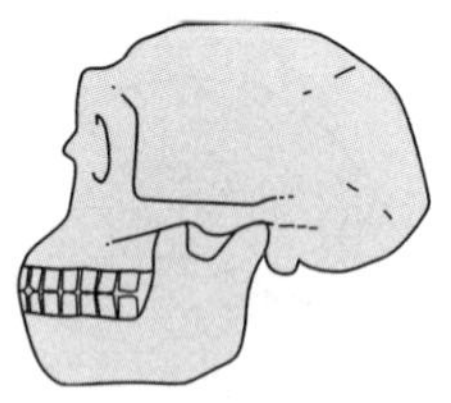

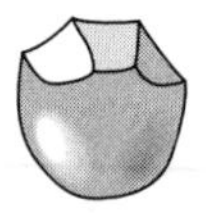

- **Époque :** de – 2 Ma à – 1,5 Ma
- **Région :** Afrique
- **Taille :** 120 cm
- **Volume encéphalique :** 700 cm^3
- **Outils :** les premiers connus. Surtout des galets cassés peu retouchés (galets aménagés).

Remarques

Les premiers ossements nommés *Homo habilis* ont été ensuite attribués à des Australopithèques, ce qui montre que les différences ne sont pas considérables. De nouvelles découvertes ont montré qu'il y avait bien des représentants de la lignée humaine à côté des Australopithèques, avec un plus grand volume encéphalique et des outils associés aux ossements.

On complète le tableau de l'hominisation :

	Physique	Comportement
Homo sapiens		
Homo erectus		
Homo habilis	**Bipédie et position érigée mieux réalisées, plus grand volume encéphalique**	**Premiers outils, c'est « l'Homme habile »**
Australopithèque	Bipédie	?

3. *Homo erectus*

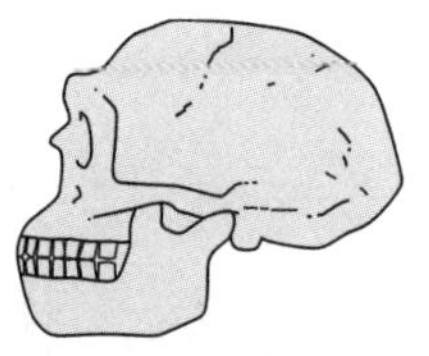

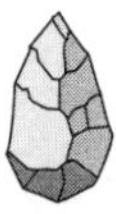

- **Époque :** de – 1,5 Ma à – 200 000 ans
- **Région :** originaire d'Afrique, puis migration en Europe et Asie
- **Taille :** 160 cm
- **Volume encéphalique :** de 800 à 1 200 cm^3
- **Outils :** silex bifaces de plus en plus plats et tranchants.

Remarques

Ces chasseurs vivent dans des huttes ou des grottes. Les plus évolués font cuire leur viande : le feu est maîtrisé. Ils utilisaient sans doute un langage parlé rudimentaire.

Parmi les fossiles trouvés en France, l'Homme de Tautavel (66) vivait il y a 400 000 ans.

Le tableau de l'hominisation s'enrichit ainsi :

	Physique	**Comportement**
Homo sapiens		
Homo erectus	**Volume encéphalique dépassant 1 000 cm^3. Corps bien droit, c'est « l'Homme érigé »**	**Maîtrise du feu**
Homo habilis	Bipédie et position érigée mieux réalisées	Premiers outils, c'est « l'Homme habile »
Australopithèque	Bipédie	?

4. *Homo sapiens*

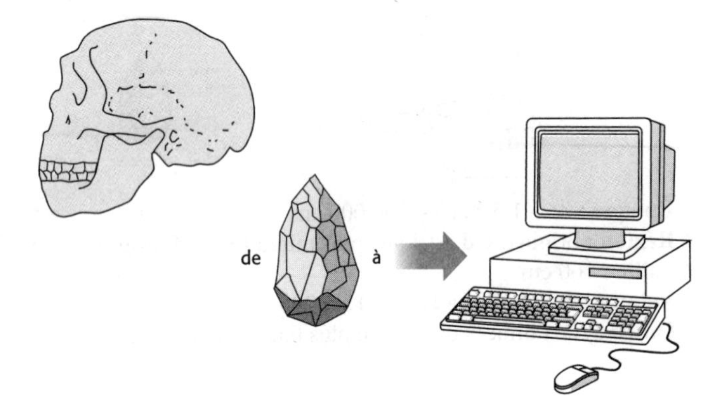

● Une espèce, deux sous-espèces :
Homo sapiens ***néandertalensis*** (crâne ci-dessus) ;
Homo sapiens ***sapiens***, voir page 202.

	Homo sapiens néandertalensis	***Homo sapiens sapiens***
Époque (ans)	de – 150 000 à – 35 000	depuis – 100 000
Région	Europe Asie	toute la planète
Taille (cm)	170	170
Volume encéphalique (cm^3)	1 500	1 500

● **Outils :** l'Homme de Néandertal débitait des éclats de silex très tranchants, l'os et le bois de cerf étaient aussi utilisés. Les outils sont spécialisés : sagaies, harpons, propulseurs… *Homo sapiens sapiens* produit des pierres polies, des poteries, des objets métalliques… puis en matière plastique.

Remarques

Homo sapiens néandertalensis a un profil encore archaïque mais un volume encéphalique égal au nôtre.
Ses rites funéraires témoignent de ses préoccupations spirituelles.
Les premiers *Homo sapiens sapiens* ont coexisté avec les Néandertaliens.

Les paliers de l'hominisation sont complétés :

	Physique	**Comportement**
Homo sapiens	**Volume encéphalique augmenté**	**Langage articulé, écriture, sciences et techniques, religion, littérature, musique, exploration interplanétaire…**
Homo erectus	Volume encéphalique dépassant 1 000 cm^3. Corps bien droit, c'est « l'Homme érigé »	Maîtrise du feu
Homo habilis	Bipédie et position érigée mieux réalisées, plus grand volume encéphalique	Premiers outils, c'est « l'Homme habile »
Australopithèque	Bipédie	?

2 Les aspects chromosomiques de l'évolution

A. La parenté génétique entre le Chimpanzé et l'Homme

Les protéines humaines sont, à plus de 99 %, identiques à celles du Chimpanzé (mêmes séquences d'acides aminés). Il en est de même, par conséquent, des gènes qui les codent (mêmes séquences de base).

Le caryotype du Chimpanzé, qui a 48 chromosomes, et celui de l'Homme, qui en a 46, sont également très proches. Au lieu d'avoir la paire n° 2 de l'Homme, le Chimpanzé a deux paires de chromosomes dont on retrouve les éléments dans le chromosome humain, selon le schéma suivant :

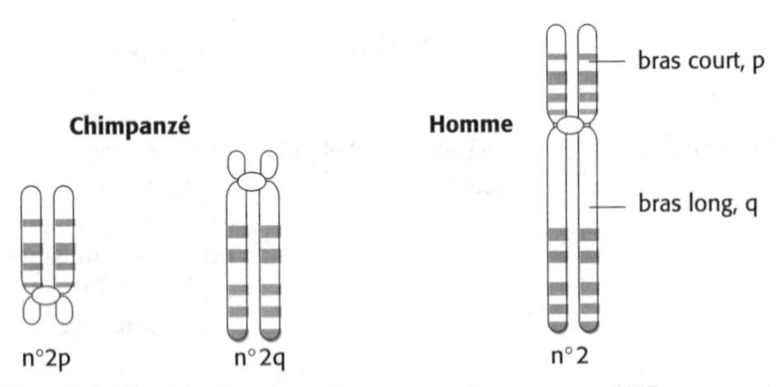

L'identité biochimique et chromosomique entre l'Homme et le Chimpanzé implique qu'ils ont eu un ancêtre commun. L'ensemble des données recueillies situe ce Primate fondateur des deux lignées à une période proche, à l'échelle géologique : environ 5 millions d'années.

B. Modifications génétiques et hominisation

1. À l'échelle des chromosomes

Les comparaisons de caryotypes indiquent que des changements ont dû intervenir chez quelques individus, le changement le plus probable étant la fusion des chromosomes 2p et 2q qui aurait donné le chromosome 2 humain.

2. À l'échelle des gènes

● **Modifications aléatoires :** si l'Homme et le Chimpanzé n'ont que 1 % de l'information génétique qui diffère, ils sont cependant bien différents. Cette contradiction est expliquée par la mutation de gènes de régulation, codant pour des protéines régulatrices. Ces protéines, en se fixant sur l'ADN, activent ou répriment l'activité de gènes codant pour des protéines de structure ou des enzymes. En décalant dans le temps l'expression de gènes de structure, une seule de ces mutations peut modifier le développement des organes de l'embryon et avoir des répercussions visibles sur l'organisme.

● **Modifications liées à l'environnement :** la sélection naturelle favorise certains allèles, en fonction des conditions écologiques du moment (voir page 200). Si deux populations vivent dans des milieux différents, leurs différences génétiques s'accentuent. L'occupation en Afrique de l'est, il y a 5 millions d'années, de deux régions différentes par deux populations de Primates pourrait avoir joué un rôle. Le rift africain aurait séparé la lignée des futurs Chimpanzés vivant à l'Est dans des forêts, des futurs Hommes vivant à l'Ouest en climat plus sec dans un paysage de savane favorisant la bipédie. L'hypothèse est rejetée par ceux qui estiment que la bipédie est une acquisition de certains Singes des forêts, antérieure à la séparation des deux lignées.

La grande ressemblance génétique entre l'Homme et le Chimpanzé suggère qu'un petit nombre de modifications du matériel génétique ont pu être à l'origine de la séparation entre les deux lignées.

ÉVOLUTION HUMAINE ET ENVIRONNEMENT

L'Homme apparaît à l'ère quaternaire, période courte mais marquée par d'importants changements climatiques, les périodes glaciaires alternant avec les réchauffements interglaciaires. Pour chaque population humaine fossile, on cherche à reconstituer le milieu de vie : climat, flore, faune.

1. La flore

Chaque plante à fleur produisant des grains de pollen de forme caractéristique, il est possible d'identifier la plante à partir de l'un d'eux. Ils se sont bien conservés dans les sédiments anciens et, par comparaison avec les plantes actuelles, il est possible de reconstituer une flore ancienne et le climat de l'époque. Les données suivantes concernent la grotte de l 'Hortus fréquentée par des chasseurs néandertaliens lors de la dernière glaciation.

+ à +++ Quantités de grains de pollen	– 50 000 ans	– 45 000 ans	– 40 000 ans
Pins	++	+++	+
Bouleaux	+++	++	+
Tilleuls	+	+++	+
Graminées	+	+	+++
Composées	+	+	+++
Paysage	forêt	forêt	steppe
Climat	froid humide	tempéré	froid sec

2. La faune

Les fossiles d'animaux mettent en évidence des changements climatiques au cours du Quaternaire.

Mammifères témoignant d'un climat froid : Bœufs musqués, Rennes, Mammouths, Hyènes, Ours des cavernes, Rhinocéros laineux.

Mammifères caractéristiques d'un climat chaud : Éléphants, Hippopotames, Lions, Rhinocéros « étrusques » et « merki ».

3. Les glaciers

Les vallées creusées « en auge », les roches polies et striées, les dépôts de moraines, permettent de retrouver les limites d'extension des glaciers du Quaternaire. Plusieurs glaciations ont alterné avec des périodes interglaciaires au climat moins froid. Les glaciers ont recouvert une surface considérable de l'Europe, leur limite sud atteignant l'Angleterre et la Belgique.

4. L'impact de l'Homme sur son environnement

Les activités de l'Homme ont toujours modifié le milieu de vie, mais l'accroissement de la population mondiale et les avancées de la technologie accélèrent actuellement les dégradations de l'environnement, comme le montrent ces exemples.

- **Effet de serre.** Des rejets industriels et domestiques modifient la composition de l'atmosphère. Les taux de CO_2 (surtout), CH_4, augmentent de plus en plus vite. Accumulés dans la haute atmosphère, ces gaz produisent un effet de serre. Le réchauffement de la Terre perturbe les cycles naturels, celui de l'eau en particulier.

- **Diminution de la biodiversité.** Des millions d'espèces peuplent les divers milieux de la planète. La disparition de certaines d'entre elles est un phénomène naturel. Cependant, l'Homme accélère actuellement le phénomène en dégradant les milieux : destruction de forêts, pollutions diverses. Il est pourtant indispensable de maintenir la biodiversité, pour des raisons biologiques (réserve de gènes, équilibres des écosystèmes...), économiques et culturelles.

Prêts pour le bac ?

7 Établissement de phylogénies
(Synthèse)

On cherche à établir des relations de parenté entre trois Vertébrés actuels : Carpe, Homme, Cheval, et à situer dans le temps la période de séparation des lignées.

Question : *En utilisant les documents 1, 2 et 3, expliquez pourquoi on peut proposer l'arbre phylogénétique suivant pour exprimer ces relations et y situer l'âge limite supérieur de séparation des lignées (nœuds) quand cela est possible.*

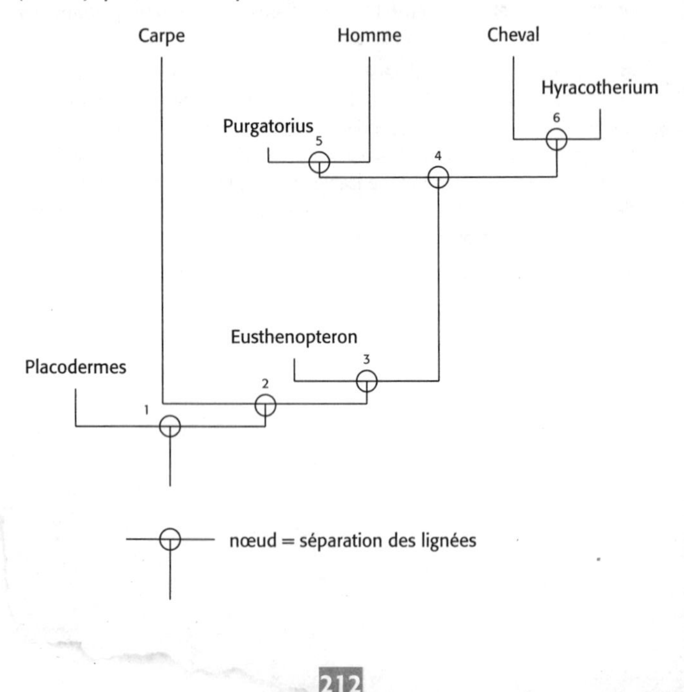

Document 1

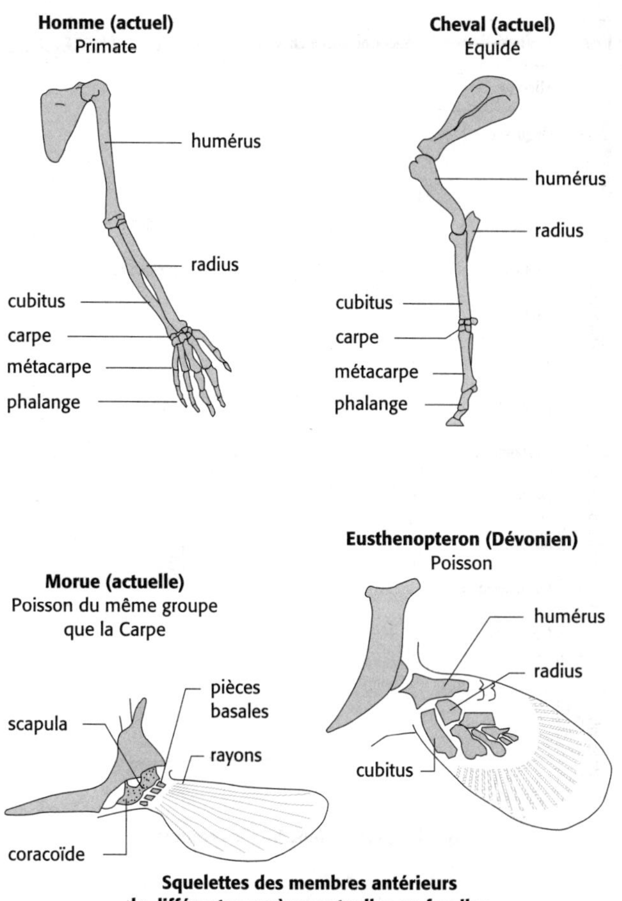

Squelettes des membres antérieurs de différentes espèces actuelles ou fossiles.

Document 2

Ères	Étages	Âges (millions d'années)	Fossiles
Cénozoïque III et IV	Miocène	– 24	
	Oligocène	– 39	
	Éocène	– 53	
	Paléocène	– 65	Hyracotherium — premier Équidé
Mésozoïque II	Crétacé	– 70	Purgatorius — premier Primate
	Jurassique		
	Trias	– 250	
Paléozoïque I	Permien	– 290	
	Carbonifère	– 360	
	Dévonien	– 400	Eusthenopteron
	Silurien	– 420	Placodermes
	Ordovicien	– 500	
	Cambrien	– 570	Invertébrés marins
Précambrien			

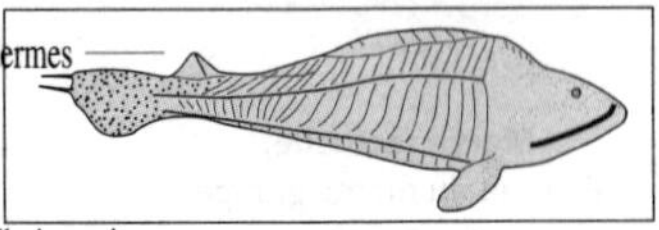

Âge des plus anciens fossiles connus.

Document 3

L'hémoglobine est une protéine constituée, chez l'adulte, de deux chaînes polypeptidiques α et de deux chaînes polypeptidiques β.
Le tableau ci-dessous indique les séquences polypeptidiques d'une portion représentative de la chaîne α des hémoglobines de l'Homme, du Cheval et de la Carpe (acides aminés 25 à 46).

Acides aminés	25					30					35						40					45	
Homme	gly	ala	glu	ala	leu	glu	arg	met	phe	leu	ser	phe	phe	pro	thr	thr	lys	thr	tyr	phe	pro	his	phe
Cheval	gly	ala	glu	ala	leu	glu	arg	met	phe	leu	ser	gly	phe	pro	thr	thr	lys	thr	thr	phe	pro	his	phe
Carpe	gly	ala	glu	ala	leu	gly	arg	met	leu	thr	val	val	tyr	pro	gin	thr	lys	thr	tyr	phe	ala	his	trp

Séquence des chaînes α des hémoglobines de trois Vertébrés.

POUR VOUS GUIDER

Anatomie comparée : le document 1 met en évidence une proche parenté entre l'Homme et le Cheval (nœud 4), une parenté lointaine entre eux et Eusthénoptéron (nœud 3) et un éloignement entre la Carpe et tous les autres (nœud 2).

Biologie moléculaire : le document 2 confirme la parenté entre l'Homme et le Cheval, l'éloignement de la Carpe.

La **chronologie** des séparations entre lignées est donnée par le document 3 :

- nœud 1, séparation Placodermes-autres Vertébrés : avant – 400 millions d'années (Ma) ;
- nœud 2 : séparation **Carpe**-ensemble « Eusthenopteron-Équidés-Primates », avant le nœud 3 ;
- nœud 3, séparation Eusthenopteron-« Équidés-Primates » : avant – 360 Ma ;
- nœud 4, séparation Équidés-Primates : avant le nœud 5 ;
- nœud 5, séparation Purgatorius-**Homme :** avant – 70 Ma ;
- nœud 6, séparation Hyracotherium-**Cheval :** avant – 53 Ma.

LEXIQUE

En couleur : les termes de Biologie.
***En noir :** les termes de Géologie.*

ADN : **a**cide **d**ésoxyribo**n**ucléique. Molécule support de l'information génétique, codée par la séquence de ses bases azotées.

Allèle : l'une des formes possibles d'un gène. Chez les organismes diploïdes, chaque gène est présent en double exemplaire : les deux allèles homologues sont identiques ou différents.

Anticorps : protéine plasmatique pouvant réagir spécifiquement avec un antigène.

Antigène : substance susceptible de provoquer une réaction immunitaire.

ARN : **a**cide **r**ibo**n**ucléique. Molécules actrices de la synthèse protéique.

Autosome : chromosome ne portant pas de gènes liés au sexe. Chez l'homme, leurs 22 paires sont identiques dans les deux sexes.

Axone : long prolongement cytoplasmique d'un neurone, qui assure la propagation des potentiels d'action du corps cellulaire à la synapse.

Bioéthique : réflexion sur l'opportunité morale des découvertes en biologie.

Canal ionique : protéine membranaire en forme de tube, pouvant s'ouvrir pour laisser passer une catégorie d'ions (Na^+, Ca^{2+}, Cl^-, K^+). Certains s'ouvrent sous l'action d'une dépolarisation locale (voltage-dépendantes) ; d'autres sous l'action d'une molécule particulière (chimiodépendantes).

Caryotype : ensemble des chromosomes classés d'une cellule. Il est constant et caractéristique pour une espèce donnée.

Cellule : unité fonctionnelle des êtres vivants. Chez les eucaryotes, on y trouve un noyau contenant l'ADN et des organites cytoplasmiques variés (mitochondries, REG...).

Chromosome : filament formé d'une molécule d'ADN et de protéines, visibles en cours de mitose.

Code génétique : correspondance entre les triplets de bases d'ADN ou d'ARN messager, et les acides aminés lors de la synthèse d'une chaîne protéique.

Corps jaune : résultat de la transformation du follicule mûr après l'ovulation. Il produit la progestérone et l'œstradiol.

Cortex : couche de substance grise formant la surface des hémisphères cérébraux.

Cycle menstruel : ensemble des modifications physiologiques se répétant chez la femme. Il débute par les règles ou menstruations. La période préovulatoire se caractérise par une production d'œstradiol seul (follicules). L'ovulation due à un pic de LH intervient au bout de 14 jours. La période postovulatoire se caractérise par une production d'œstradiol et de progestérone (corps jaune). Le début des règles marque la fin du cycle et le commencement d'un nouveau.

Dendrite : prolongement ramifié d'un corps cellulaire de neurone recevant les messages nerveux d'autres neurones.

Différenciation des planètes : séparation dans une planète jeune d'un noyau riche en fer, et d'un manteau formé de silicates.

Diploïde : qui présente un double jeu de chromosomes (2*n*). Une cellule qui possède des paires de chromosomes homologues est diploïde.

Dominance : lorsque les deux allèles d'un gène sont différents, l'un d'eux impose son information tandis que l'autre ne s'exprime pas, excepté s'il y a codominance. On désigne l'allèle dominant par une initiale majuscule, le récessif par une minuscule.

Échelle stratigraphique : échelle des temps géologiques définie par des faunes de fossiles et par des datations absolues.

Effecteur : organe répondant à une stimulation nerveuse ou hormonale. L'effecteur est le plus souvent un muscle ou une glande.

Électrophorèse : technique de séparation de fragments d'ADN ou de protéines en fonction de leur charge électrique.

Encéphale : partie principale du système nerveux central logée dans la boîte crânienne.

Endocrine : se dit d'une cellule, d'une glande dont les produits de sécrétion sont déversés dans le sang. Cette sécrétion est le plus souvent une hormone.

Endomètre : muqueuse interne de l'utérus. Il s'hypertrophie sous l'action de l'œstradiol et surtout de la progestérone.

Érosion : action mécanique et chimique, de l'eau et de l'air essentiellement, aboutissent à la dégradation des roches et au modelage du relief.

Espèce : ensemble d'individus potentiellement interféconds.

Eucaryotes : êtres vivants formés de cellules contenant un vrai noyau.

Évolution : modification dans le temps des structures vivantes : évolution des molécules, des espèces.

Fécondation : formation d'une cellule-œuf par la fusion d'un gamète mâle et d'un gamète femelle.

Follicule : ensemble formé par l'ovocyte et les cellules folliculaires synthétisant l'œstradiol.

Fossile : reste d'être vivant contenu dans une roche.

Fossile stratigraphique : fossile ayant vécu pendant une période bien définie, et permettant de dater le terrain où on le trouve.

FSH : *follicle stimulating hormone*, ou hormone folliculo-stimulante. Hormone polypeptidique hypophysaire stimulant la croissance des follicules chez la femme et la production de spermatozoïdes chez l'homme.

Gamète : cellule reproductrice haploïde. Si elle fusionne avec un gamète de l'autre sexe (fécondation), il en résulte une cellule-œuf.

Gène : portion de molécule d'ADN, unité génétique codant pour une protéine, donc un caractère.

Génome : ensemble des gènes d'une cellule ou d'un organisme.

Génotype : ensemble des allèles d'une cellule ou d'un organisme. Peut s'exprimer par une formule se limitant aux gènes étudiés.

Gonosome : V. hétérochromosome.

GnRH : *Gonadotrophine releasing hormone*, ou libérine. Neurohormone hypothalamique stimulant la production de FSH et de LH par l'antéhypophyse.

Haploïde : qui présente un seul jeu de chromosomes (*n*). Un gamète est haploïde, une bactérie aussi.

Hétérochromosome : chromosome sexuel, chromosome X ou Y. Chez les mammifères, sexe femelle XX, sexe mâle XY.

Hétérozygote : l'individu est hétérozygote pour un gène donné, si les deux allèles qu'il possède sont différents.

Homozygote : si, pour un gène donné les deux allèles que possède l'individu sont identiques, ce dernier est dit homozygote.

Hormone : molécule produite par une glande endocrine, transportée par le sang et modifiant le fonctionnement de cellules-cibles munies de récepteurs de cette hormone.

Hypophyse : glande située sous l'encéphale. L'hypophyse antérieure ou antéhypophyse produit plusieurs hormones : FSH, LH, prolactine... L'hypophyse postérieure ou posthypophyse libère les neurohormones : ocytocine, ADH.

Hypothalamus : centre de l'intégration neurohormonale. Il stimule l'antéhypophyse par des RH (*releasing hormones* ou libérines). Il intervient dans de nombreuses fonctions complexes, telles que la régulation thermique par exemple.

Immunocompétence : caractéristique de cellules pouvant produire une réponse immunitaire.

Interleukines : substances produites par des cellules du système immunitaire et modifiant le fonctionnement d'autres cellules du même système.

Leucocytes : ou globules blancs, cellules du système immunitaire.

LH : *luteinic hormone* ou hormone lutéinique. Polypeptide antéhypophysaire stimulant la croissance du corps jaune chez la femme et la production de testostérone chez l'homme.

Lymphocytes B et T : cellules du système immunitaire responsables de la production d'anticorps (B), et de la lyse cellulaire (T).

Méiose : ensemble de deux divisions cellulaires successives et particulières, intervenant lors de la formation des gamètes. Une première division réduit de moitié le nombre des chromosomes (passage de $2n$ à n) ; une seconde répartit le matériel génétique entre quatre cellules haploïdes.

Message nerveux : ensemble de potentiels d'action caractérisé par la fréquence de ces derniers.

Métamorphisme : transformation de roches à l'état solide, liée à des températures et des pressions élevées.

Mitose : division cellulaire donnant naissance à deux cellules-filles identiques entre elles et à la cellule-mère.

Mutation : modification accidentelle portant sur le nombre des chromosomes ou sur la forme de l'un d'eux (mutation chromosomique) ou due à l'altération d'un gène (mutation génique).

Neurohormone : hormone produite par les neurones sécréteurs de l'hypothalamus.

Neurone : cellule nerveuse comprenant un corps cellulaire et des prolongements, axone et dendrites, où se propagent des potentiels d'action.

Neurotransmetteur : molécule présynaptique libérée par l'extrémité d'un axone et stimulant la cellule voisine ou neurone postsynaptique.

Nucléotide : unité constitutive de l'ADN ou de l'ARN. C'est une molécule complexe résultant de la combinaison d'une molécule d'*acide phosphorique* avec une molécule de *sucre* en C_5 (ribose ou désoxyribose), elle-même combinée avec une *base azotée*.

Œstradiol : hormone produite par les follicules ovariens et les corps jaunes, indispensable au développement et au maintien de l'appareil génital et des caractères sexuels secondaires.

Ovocytes : l'ovocyte I est une cellule diploïde située dans un follicule ovarien où elle se transforme par méiose en ovocyte II qui est le gamète femelle que libère l'ovaire (ovulation).

Phagocytose : ingestion d'un objet étranger à l'organisme par des leucocytes spécialisés, granulocytes ou macrophages.

Phénotype : ensemble des caractéristiques d'un organisme qui résultent de l'expression de ses gènes.

Plaques : fragments rigides de la lithosphère pouvant subir des déplacements à la surface de l'asthénosphère.

***Pool* génétique :** ensemble des gènes d'un organisme ou d'une population.

Population : individus appartenant à la même espèce et partageant le même habitat ; le *pool* génétique varie d'une population à l'autre.

Potention d'action : dépolarisation importante se propageant le long d'une fibre nerveuse.

Potentiel de repos : différence de potentiel existant entre le cytoplasme et l'extérieur d'une cellule non stimulée (– 70 mV).

Procaryote : être unicellulaire dépourvu de noyau (s'oppose à eucaryote). L'ADN est libre dans un cytoplasme sans mitochondries ni chloroplastes mais pourvu de ribosomes.

Progestérone : hormone sécrétée par les corps jaunes et le placenta, qui prépare et maintient la grossesse.

Protéine : molécule protidique formée d'un enchaînement de nombreux acides aminés.

Récepteur sensoriel : organe ou cellule sensible à un stimulus donné et le traduisant par un message nerveux.

Récepteur membranaire : protéine membranaire fixant spécifiquement une molécule (hormone ou neurotransmetteur) et déclenchant une réaction cellulaire.

Récessivité : non-expression d'un allèle dominé par son homologue. Voir dominance.

Réflexe : activité involontaire d'un effecteur en réponse à la stimulation d'un récepteur.

Rétrocontrôle : action en retour d'un paramètre sur le système qui l'a engendré. C'est par exemple l'inhibition d'un centre de commande comme l'hypothalamus par les productions d'un organe effecteur.

Sonde moléculaire : ARN ou ADN simple brin de séquence connue utilisée pour repérer une séquence d'ADN dont on soupçonne la présence dans le génome d'un individu. La sonde ne peut s'associer qu'aux séquences qui lui sont complémentaires.

Spéciation : formation d'un espèce à partir d'une espèce ancestrale.

Spermatozoïde : gamète mâle, produit par les tubes séminifères des testicules et capable de féconder un ovocyte.

Synapse : zone de jonction entre deux cellules nerveuses. La liaison se fait presque toujours par un neurotransmetteur.

Système solaire : ensemble constitué par le Soleil, neuf planètes et leurs satellites, des astéroïdes et des comètes.

Tectonique des plaques : mouvements relatifs des plaques à la surface de la Terre.

Trisomie : présence de trois chromosomes homologues dans une cellule au lieu de deux. Si l'anomalie existe dans la cellule-œuf, elle est répétée dans toutes les cellules de l'organisme. Exemple : trisomie 21 ou syndrome de Down.

Zygote : cellule-œuf résultant de la fécondation d'un ovocyte par un spermatozoïde.

INDEX

A

B

C

D

E

T

U

V

Z

Dessins : Laurent Blondel/COREDOC

N° de projet : 10068681 - (IV) - 25 - OSBB - 80° - CGI
Imprimé en France - Juillet 1999
par Mame Imprimeurs à Tours (N° 99052124)